種植部

木本第一

草木之種類極雜，而别其大較有三，木本、藤本、草本是也。木本堅而難痿，其歲較長者，根深故也。藤本之爲根略淺，故弱而待扶，其歲猶以年紀。草本之根愈淺，故經霜輒壞，爲壽止能及歲。是根也者，萬物短長之數也，欲豐其得，先固其根，吾于老農老圃之事，而得養生處世之方焉。人能慮後計長，事事求爲木本，則見雨露不喜，而睹霜雪不驚；其爲身也，挺然獨立，至于斧斤之來，則天數也，豈靈椿古柏之所能避哉？如其植德不力，而務爲苟延，則是藤本其身，止可因人成事，人立而我立，人仆而我亦仆矣。至于木槿其生，不爲明日計者，彼且不知根爲何物，遑計入土之淺深，藏荄之厚薄哉？是即草木之流亞也。噫，世豈乏草木之行，而反木其天年，藤其後裔者哉？此造物偶然之失，非天地處人待物之常也。

牡丹

牡丹得王于群花，予初不服是論，謂其色其香，去芍藥有幾？擇其絶勝者與角雌雄，正未知鹿死誰手。及睹《事物紀原》，謂武后冬月游後苑，花俱開而牡丹獨遲，遂貶洛陽，因大悟曰：『强項若此，得貶固宜，然不加九五之尊，奚洗八千之辱乎？』（韓詩『夕貶潮陽路八千』。）物生有候，葭動以時，苟非其時，雖十堯不能冬生一穗；后係人主，可强鷄人使晝鳴乎？如其有識，當盡貶諸卉而獨崇牡丹。花王之封，允宜肇于此日，惜其所見不逮，而且倒行逆施。誠哉！其爲武后也。予自秦之鞏昌，載牡丹十數本而歸，同人嘲予以詩，有『群芳應怪人情熱，千里趨迎富貴花』之句。予曰：『彼以守拙得貶，予載之歸，是趨冷非趨熱也。』茲得此論，更發明矣。藝植之法，載于名人譜帙者，纖髮無遺，予儻及之，又是拾人牙後矣。但有吃緊一着，花譜偶載而未之悉者，請暢言之。是花皆有正面，有反面，有側面。正面宜向陽，此種花通義也。然他種猶能委曲，獨牡丹不肯通融，處以南面即生，俾之他向則死，此其骯臟不回之本性，人主不能屈之，誰能屈之？予嘗執此語同人，有迂其説者。予曰：『匪特士民之家，即以帝王之尊，欲植此花，亦不能不循此例。』同人詰予曰：『有所本乎？』予曰：『有本。吾家太白詩云：「名花傾國兩相歡，常得君王帶笑看。解釋春風無限恨，沉香亭北倚欄杆。」倚欄杆者向北，則花非南面而何？』同人笑而是之。斯言得無定論？

梅

花之最先者梅，果之最先者櫻桃。若以次序定尊卑，則梅當王于花，櫻桃王于果，猶瓜之最先者曰王瓜，于義理未嘗不合，奈何別置品題，使後來居上。首出者不得爲聖人，則闢草昧致文明者，誰之力歟？雖然，以梅冠群芳，料輿情必協；但以櫻桃冠群果，吾恐主持公道者，又不免爲荔枝號屈矣。姑仍舊貫，以免抵牾。種梅之法，亦備群書，無庸置吻，但言領略之法而已。花時苦寒，既有妻梅之心，當籌寢處之法。否則衾枕不備，露宿爲難，乘興而來者，無不盡興而返，即求爲驢背浩然，不數得也。觀梅之具有二：山游者必帶帳房，實三面而虚其前，制同湯網，其中多設爐炭，既可致温，復備暖酒之用。此一法也。園居者設紙屏數扇，覆以平頂，四面設窗，盡可開閉，隨花所在，撑而就之。此屏不止觀梅，是花皆然，可備終歲之用。立一小匾，名曰『就花居』。花間豎一旗幟，不論何花，概以總名曰『縮地花』。此一法也。若家居所植者，近在身畔，遠亦不出眼前，是花能就人，無俟人爲蜂蝶矣。然而愛梅之人，缺陷有二：凡到梅開之時，人之好惡不齊，天之功過亦不等，風送香來，香來而寒亦至，令人開户不得，閉户不得，是可愛者風，而可憎者亦風也。雪助花妍，雪凍而花亦凍，令人去之不可，留之不可，是有功者雪，有過者亦雪也。其有功無過，可愛而不可憎者惟日，既可養花，又堪曝背，是誠天之循吏也。使止有日而無風雪，則無時無日不在花間，布帳紙屏皆可不設，豈非梅花之至幸，而生人之極樂也哉！然而爲之天者，則甚難矣。

蠟梅者，梅之別種，殆亦共姓而通譜者歟？然而有此令德，亦樂與聯宗。吾又謂別有一花，當爲蠟梅之异姓兄弟，玫瑰是也。氣味相孚，皆造濃艷之極致，殆不留餘地待人者矣。人謂過猶不及，當務適中，然資性所在，一往而深，求爲適中，不可得也。

桃

凡言草木之花，矢口即稱桃李，是桃李二物，領袖群芳者也。其所以領袖群芳者，以色之大都不出紅白二種，桃色爲紅之極純，李色爲白之至潔，『桃花能紅李能白』一語，足盡二物之能事。然今人所重之桃，非古人所愛之桃；今人所重者爲口腹計，未嘗究及觀覽。大率桃之爲物，可目者未嘗可口，不能執兩端事人。凡欲桃實之佳者，必以他樹接之，不知桃實之佳，佳于接，桃色之壞，亦壞于接。桃之未經接者，其色極嬌，酷似美人之面，所謂『桃腮』、『桃靨』者，皆指天然未接之桃，非今時所謂碧桃、絳桃、金桃、銀桃之類也。即今詩人所咏，畫圖所繪者，亦是此種。此種不得于名園，不得于勝地，惟鄉村籬落之間，牧童樵叟所居之地，能富有之。欲看桃花者，必策蹇郊行，聽其所至，如武陵人之偶入桃源，始能復有其樂。如僅載酒園亭，携姬院落，爲當春行樂計者，謂賞他卉則可，謂看桃花而能得其真趣，吾不信也。噫，色之極媚者莫過于桃，而壽之極短者亦莫過于桃，『紅顔薄命』之説，單爲此種。凡見婦人面與相似而色澤不分者，即當以花魂視之，謂别形體不久也。然勿明言，至生涕泣。

李

李是吾家果，花亦吾家花，當以私愛嬖之，然不敢也。唐有天下，此樹未聞得封。天子未嘗私庇，况庶人乎？以公道論之可已。與桃齊名，同作花中領袖，然而桃色可變，李色不可變也。『邦有道，不變塞焉，强哉矯！邦無道，至死不變，强哉矯！』自有此花以來，未聞稍易其色，始終一操，涅而不淄，是誠吾家物也。至有稍變其色，冒爲一宗，而此類不收，仍加一字以示别者，則鬱李是也。李樹較桃爲耐久，逾三十年始老，枝雖枯而子仍不細，以得于天者獨厚，又能甘淡守素，未嘗以色媚人也。若仙李之盤根，則又與靈椿比壽。我欲繩武而不能，以著述永年而已矣。

杏

種杏不實者，以處子常繫之裙繫樹上，便結子纍纍。予初不信，而試之果然。是樹性喜淫者，莫過于杏，予嘗名爲『風流樹』。噫，樹木何取于人，人何親于樹木，而契愛若此，動乎情也？情能動物，况于人乎！其必宜于處子之裙者，以情貴乎專；已字人者，情有所分而不聚也。予謂此法既驗于杏，亦可推而廣之。凡樹木之不實者，皆當繫以美女之裳；即男子之不能誕育者，亦當衣以佳人之褲。蓋世間慕女色而愛處子，可以情感而使之動者，豈止一杏而已哉！

梨

予播遷四方，所止之地，惟荔枝、龍眼、佛手諸卉，爲吳越諸邦不產者，未經種植，其餘一切花果竹木，無一不經葺理；獨梨花一本，爲眼前易得之物，獨不能身有其樹爲楂梨主人，可與少陵不咏海棠，同作一等欠事。然性愛此花，甚于愛食其果。果之種類不一，中食者少，而花之耐觀，則無一不然。雪爲天上之雪，此是人間之雪；雪之所少者香，此能兼擅其美。唐人詩云：『梅雖遜雪三分白，雪却輸梅一段香。』此言天上之雪。料其輸贏不决，請以人間之雪爲天上解圍。

海棠

『海棠有色而無香』，此《春秋》責備賢者之法。否則無香者衆，胡盡恕之，而獨于海棠是咎？然吾又謂海棠不盡無香，香在隱躍之間，又不幸而爲色掩。如人生有二技，一技稍粗，則爲精者所隱；一術太長，則六藝皆通，悉爲人所不道。王羲之善書，吳道子善畫，此二人者，豈僅工書善畫者哉？蘇長公不善棋酒，豈遂一子不拈，一卮不設者哉？詩文過高，棋酒不足稱耳。吾欲證前人有色無香之說，執海棠之初放者嗅之，另有一種清芬，利于緩咀，而不宜于猛嗅。使盡無香，則蜂蝶過門不入矣，何以鄭谷《咏海棠》詩云『朝醉暮吟看不足，羨他蝴蝶宿深枝』？有香無香，當以蝶之去留爲證。且香之與臭，敵國也。《花譜》云：『海棠無香而畏臭，不宜灌糞。』去此者必即彼，若是，則海棠無香之說，亦可備證于前，而稍白于後矣。噫，『大音希聲』，『大羹不和』，奚必如蘭如麝，撲鼻薰人，而後謂之有香氣乎？

王禹偁《詩話》云：『杜子美避地蜀中，未嘗有一詩及海棠，以其生母名海棠也。』生母名海棠，予空疏未得其考，然恐子美即善吟，亦不能物物咏到。一詩偶遺，即使後人議及父母。甚矣，才子之難爲也。鼎革以前，吾鄉杜姓者，其家海棠絶勝，予歲歲縱覽，未嘗或遺。嘗贈以詩云：『此花不比别花來，題破東君着意培。不怪少陵無贈句，多情偏向杜家開。』似可爲少陵解嘲。

秋海棠一種，較春花更媚。春花肖美人，秋花更肖美人；春花肖美人之已嫁者，秋花肖美人之待年者；春花肖美人之綽約可愛者，秋花肖美人之纖弱可憐者。處子之可憐，少婦之可愛，二者不可得兼，必將娶憐而割愛矣。相傳秋海棠初無是花，因女子懷人不至，涕泣灑地，遂生此花，名爲『斷腸花』。噫，同一泪也，灑之林中，即成斑竹，灑之地上，即生海棠，泪之爲物神矣哉！

春海棠顔色極佳，凡有園亭者不可不備，然貧士之家不能必有，當以秋海棠補之。此花便于貧士者有二：移根即是，不須錢買，一也；爲地不多，墻間壁上，皆可植之。性復喜陰，秋海棠所取之地，皆群花所弃之地也。

玉蘭

世無玉樹，請以此花當之。花之白者盡多，皆有葉色相亂，此則不葉而花，與梅同致。千幹萬蕊，盡放一時，殊盛事也。但絶盛之事，有時變爲恨事。衆花之開，無不忌雨，而此花尤甚。一樹好花，止須一宿微雨，盡皆變色，又覺腐爛可憎，較之無花，更爲乏趣。群花開謝以時，謝者既謝，開者猶開，此則一敗俱敗，半瓣不留。語云：『弄花一年，看花十日。』爲玉蘭主人者，常有延佇經年，不得一朝盼望者，詎非香國中絕大恨事？故值此花一開，便宜急急玩賞，玩得一日是一日，賞得一時是一時。若初開不玩而俟全開，全開不玩而俟盛開，則恐好事未行，而殺風景者至矣。噫，天何仇于玉蘭，而往往三歲之中，定有一二歲與之爲難哉！

辛夷

辛夷，木筆，望春花，一卉而數异其名，又無甚新奇可取，『名有餘而實不足』者，此類是也。園亭極廣，無一不備者方可植之，不則當爲此花藏拙。

山茶

花之最不耐開，一開輒盡者，桂與玉蘭是也；花之最能持久，愈開愈盛者，山茶、石榴是也。然石榴之久，猶不及山茶；榴葉經霜即脱，山茶戴雪而榮。則是此花也者，具松柏之骨，挾桃李之姿，歷春夏秋冬如一日，殆草木而神仙者乎？又况種類極多，由淺紅以至深紅，無一不備。其淺也，如粉如脂，如美人之腮，如酒客之面；其深也，如硃如火，如猩猩之血，如鶴頂之珠。可謂極淺深濃淡之致，而無一毫遺憾者矣。得此花一二本，可抵群花數十本。惜乎予園僅同芥子，諸卉種就，不能再納須彌，僅取盆中小樹，植于怪石之旁。噫，善善而不能用，惡惡而不能去，予其郭公也夫！

紫薇

人謂禽獸有知，草木無知。予曰：不然。禽獸草木盡是有知之物，但禽獸之知，稍异于人，草木之知，又稍异于禽獸，漸蠢則漸愚耳。何以知之？知之于紫薇樹之怕癢。知癢則知痛，知痛癢則知榮辱利害，是去禽獸不遠，猶禽獸之去人不遠也。人謂樹之怕癢者，祇有紫薇一種，餘則不然。予曰：草木同性，但觀此樹怕癢，即知無草無木不知痛癢，但紫薇能動，他樹不能動耳。人又問：既然不動，何以知其識痛癢？予曰：就人喻之，怕癢之人，搔之即動，亦有不怕癢之人，聽人搔扒而不動者，豈人亦不知痛癢乎？由是觀之，草木之受誅鋤，猶禽獸之被宰殺，其苦其痛，俱有不忍言者。人能以待紫薇者待一切草木，待一切草木者待禽獸與人，則斬伐不敢妄施，而有疾痛相關之義矣。

繡球

天工之巧，至開繡球一花而止矣。他種之巧，純用天工，此則詐施人力，似肖塵世所爲而爲者。剪春羅、剪秋羅諸花亦然。天工于此，似非無意，蓋曰：『汝所能者，我亦能之；我所能者，汝實不能爲也。』若是，則當再生一二蹴球之人，立于樹上，則天工之鬥巧者全矣。其不屑爲此者，豈以物可肖，而人不足肖乎？

紫荆

紫荆一種，花之可已者也。但春季所開，多紅少紫，欲備其色，故間植之。然少枝無葉，貼樹生花，雖若紫衣少年，亭亭獨立，但覺窄袍緊袂，衣瘦身肥，立于翩翩舞袖之中，不免代爲踧踖。

梔子

梔子花無甚奇特，予取其仿佛玉蘭。玉蘭忌雨，而此不忌；玉蘭齊放齊凋，而此則開以次第。惜其樹小而不能出檐，如能出檐，即以之權當玉蘭，而補三春恨事，誰曰不可？

杜鵑　櫻桃

杜鵑、櫻桃二種，花之可有可無者也。所重于櫻桃者，在實不在花；所重于杜鵑者，在西蜀之异種，不在四方之恒種。如名花俱備，則二種開時，盡有快心而奪目者，欲覽餘芳，亦愁少暇。

石榴

芥子園之地不及三畝，而屋居其一，石居其一，乃榴之大者，復有四五株。是點綴吾居，使不落寞者，榴也；盤踞吾地，使不得盡栽他卉者，亦榴也。榴之功罪，不幾半乎？然賴主人善用，榴雖多，不爲贅也。榴性喜壓，就其根之宜石者，從而山之，是榴之根即山之麓也；榴性喜日，就其陰之可庇者，從而屋之，是榴之地即屋之天也；榴之性又復喜高而直上，就其枝柯之可傍，而又借爲天際真人者，從而樓之，是榴之花即吾倚欄守户之人也。此芥子園主人區處石榴之法，請以公之樹木者。

木槿

木槿朝開而暮落，其爲生也良苦。與其易落，何如弗開？造物生此，亦可謂不憚煩矣。有人曰：不然。木槿者，花之現身説法以儆愚蒙者也。花之一日，猶人之百年。人視人之百年，自覺其久，視花之一日，則謂極少而極暫矣。不知人之視人，猶花之視花，人以百年爲久，花豈不以一日爲久乎？無一日不落之花，則無百年不死之人可知矣。此人之似花者也。乃花開花落之期雖少而暫，猶有一定不移之數，朝開暮落者，必不幻而爲朝開午落，午開暮落；乃人之生死，則無一定不移之數，有不及百年而死者，有不及百年之半與百年之二三而死者；則是花之落也必焉，人之死也忽焉。使人亦知木槿之爲生，至暮必落，則生前死後之事，皆可自爲政矣，無如其不能也。此人之不能似花者也。人能作如是觀，則木槿一花，當與萱草并樹。睹萱草則能忘憂，睹木槿則能知戒。

桂

秋花之香者，莫能如桂。樹乃月中之樹，香亦天上之香也。但其缺陷處，則在滿樹齊開，不留餘地。予有《惜桂》詩云：『萬斛黃金碾作灰，西風一陣總吹來。早知三日都狼藉，何不留將次第開？』盛極必衰，乃盈虛一定之理，凡有富貴榮華一蹴而至者，皆玉蘭之爲春光，丹桂之爲秋色。

合歡

『合歡蠲忿』，『萱草忘憂』，皆益人情性之物，無地不宜種之。然睹萱草而忘憂，吾聞其語矣，未見其人也。對合歡而蠲忿，則不必訊之他人，凡見此花者，無不解愠成歡，破涕爲笑。是萱草可以不樹，而合歡則不可不栽。栽之之法，《花譜》不詳，非不詳也，以作譜之人，非真能合歡之人也。漁人談稼事，農父著樵經，有約略其詞而已。凡植此花，不宜出之庭外，深閨曲房是其所也。此樹朝開暮合，每至昏黃，枝葉互相交結，是名『合歡』。植之閨房者，合歡之花宜置合歡之地，如椿萱宜在承歡之所，荆棣宜在友于之場，欲其稱也。此樹栽于內室，則人開而樹亦開，樹合而人亦合。人既爲之增愉，樹亦因而加茂，所謂人地相宜者也。使居寂寞之境，不亦虛負此花哉？灌勿太肥，常以男女同浴之水，隔一宿而澆其根，則花之芳妍，較常加倍。此予既驗之法，以無心偶試而得之。如其不信，請同覓二本，一植庭外，一植閨中，一澆肥水，一澆浴湯，驗其孰盛孰衰，即知予言謬不謬矣。

木芙蓉

水芙蓉之于夏，木芙蓉之于秋，可謂二季功臣矣。然水芙蓉必須池沼，『所謂伊人，在水一方』者，不可數得。茂叔之好，徒有其心而已。木則隨地可植。况二花之艷，相距不遠。雖居岸上，如在水中，謂之秋蓮可，謂之夏蓮亦可，即自認爲三春之花，東皇未去也亦可。凡有籬落之家，此種必不可少。如或傍水而居，而岸不見此花者，非至俗之人，即薄福不能消受之人也。

夾竹桃

夾竹桃一種，花則可取，而命名不善。以竹乃有道之士，桃則佳麗之人，道不同不相爲謀，合而一之，殊覺矛盾。請易其名爲『生花竹』，去一桃字，便覺相安。且松、竹、梅素稱三友，松有花，梅有花，惟竹無花，可稱缺典。得此補之，豈不天然湊合？亦女媧氏之五色石也。

瑞香

茂叔以蓮爲花之君子，予爲增一敵國，曰：瑞香乃花之小人。何也？《譜》載此花『一名麝囊，能損花，宜另植』。予初不信，取而嗅之，果帶麝味，麝則未有不損群花者也。同列衆芳之中，即有明儕之義，不能相資相益，而反祟之，非小人而何？幸造物處之得宜，予以不能爲患之勢。其開也，必于冬夏之交，是時群花摇落，諸卉未榮，及見此花者，僅有梅花、水仙二種，又在成功將退之候，當其鋒也未久，故罹其毒也亦不深，此造物之善用小人也。使易冬春之交而爲春夏之交，則花王亦幾被篡，矧下此者乎？唐宋諸名流，無不憐香嗜色，贊以詩詞者，皆以早春無花，得此可搔目癢，又但見其佳，而未逢其虐耳。予僭爲香國平章，焉得不秉公持正？寧使一小人怒而欲殺，不敢不爲衆君子密堤防也。

茉莉

茉莉一花，單爲助妝而設，其天生以媚婦人者乎？是花皆曉開，此獨暮開。暮開者，使人不得把玩，秘之以待曉妝也。是花蒂上皆無孔，此獨有孔。有孔者，非此不能受簪，天生以爲立脚之地也。若是，則婦人之妝，乃天造地設之事耳。植他樹皆爲男子，種此花獨爲婦人。既爲婦人，則當眷屬視之矣。妻梅者，止一林逋，妻茉莉者，當遍天下而是也。

欲藝此花，必求木本。藤本一樣着花，但苦經年即死，視其死而莫之救，亦仁人君子所不樂爲也。木本最難過冬，予嘗歷驗收藏之法。此花痿于寒者什一，斃于乾者什九，人皆畏凍而滴水不澆，是以枯死。此見噎廢食之法，有避嘔逆而經時絶粒，其人尚存者乎？稍暖微澆，大寒即止，此不易之法。但收藏必于暖處，篾罩必不可無，澆不用水而用冷茶，如斯而已。予藝此花三十年，皆爲燥誤，如今識此，以告世人，亦其否極泰來之會也。

藤本第二

藤本之花，必須扶植。扶植之具，莫妙于從前成法之用竹屏。或方其眼，或斜其槅，因作葳蕤柱石，遂成錦綉墻垣，使内外之人，隔花阻葉，礙紫間紅，可望而不可親，此善製也。無奈近日茶坊酒肆，無一不然，有花即以植花，無花則以代壁。此習始于維揚，今日漸及他處矣。市井若此，高人韵士之居，斷斷不應若此。避市井者，非避市井，避其勞勞攘攘之情，錙銖必較之陋習也。見市井所有之物，如在市井之中，居處習見，能移性情，此其所以當避也。即如前人之取别號，每用川、泉、湖、宇等字，其初未嘗不新，未嘗不雅，後商賈者流，家效而户則之，以致市肆標榜之上，所書姓名非川即泉，非湖即宇，是以避俗之人，不得不去之若浼。邇來縉紳先生悉用齋、庵二字，極宜；但恐用者過多，則而效之者，又入從前標榜，是今日之齋、庵，未必不是前日之川、泉、湖、宇。雖曰名以人重，人不以名重，然亦實之賓也。已噪寰中者仍之繼起，諸公似應稍變。人問植花既不用屏，豈遂聽其滋蔓于地乎？曰：不然。屏仍其故，製略新之。雖不能保後日之市廛，不又變爲今日之園圃，然新得一日是一日，异得一時是一時，但願貿易之人，并性情風俗而變之。變亦不求盡變，市井之念不可無，壟斷之心不可有。覓應得之利，謀有道之生，即是人間大隱。若是，則高人韵士，皆樂得與之游矣，復何勞擾錙銖之足避哉？花屏之製有三，列于《藤本》之末。（按今見各本均未刊花屏之製）

薔薇

結屏之花，薔薇居首。其可愛者，則在富于種而不一其色。大約屏間之花，貴在五彩繽紛，若上下四旁皆一其色，則是佳人忌作之綉，庸工不繪之圖，列于亭齋，有何意致？他種屏花，若木香、酴醾、月月紅諸本，族類有限，爲色不多，欲其相間，勢必旁求他種。薔薇之苗裔極繁，其色有赤，有紅，有黄，有紫，甚至有黑；即紅之一色，又判數等，有大紅、深紅、淺紅、肉紅、粉紅之异。屏之寬者，盡其種類所有而植之，使條梗蔓延相錯，花時鬥麗，可傲步障于石崇。然徵名考實，則皆薔薇也。是屏花之富者，莫過于薔薇。他種衣色雖妍，終不免于捉襟露肘。

木香

木香花密而香濃，此其稍勝薔薇者也。然結屏單靠此種，未免冷落，勢必依傍薔薇。薔薇宜架，木香宜棚者，以薔薇條幹之所及，不及木香之遠也。木香作屋，薔薇作垣，二者各盡其長，主人亦均收其利矣。

酴醾

酴醾之品，亞于薔薇、木香，然亦屏間必須之物，以其花候稍遲，可續二種之不繼也。『開到酴醾花事了』，每憶此句，情興爲之索然。

月月紅

俗云：『人無千日好，花難四季紅。』四季能紅者，現有此花，是欲矯俗言之失也。花能矯俗言之失，何人情反聽其驗乎？綴屏之花，此爲第一。所苦者樹不能高，故此花一名『瘦客』。然予復有用短之法，乃爲市井之人强迫而成者也。法在屏制之第三幅。此花有紅、白及淡紅三本，結屏必須同植。

此花又名『長春』，又名『鬥雪』，又名『勝春』，又名『月季』。予于種種之外，復增一名，曰『斷續花』。花之斷而能續，續而復能斷者，祇有此種。因其所開不繁，留爲可繼，故能綿邈若此；其餘一切之不能續者，非不能續，正以其不能斷耳。

姊妹花

花之命名，莫善于此。一蓓七花者曰『七姊妹』，一蓓十花者曰『十姊妹』。觀其淺深紅白，確有兄長娣幼之分，殆楊家姊妹現身乎？余極喜此花，二種并植，匯其名爲『十七姊妹』。但怪其蔓延太甚，溢出屏外，雖日刈月除，其勢猶不可遏。豈黨與過多，釀成不戢之勢歟？此無他，皆同心不妒之過也，妒則必無是患矣。故善御女戎者，妙在使之能妒。

玫瑰

花之有利于人，而無一不爲我用者，芰荷是也；花之有利于人，而我無一不爲所奉者，玫瑰是也。芰荷利人之説，見于本傳。玫瑰之利，同于芰荷，而令人可親可溺，不忍暫離，則又過之。群花止能娛目，此則口眼鼻舌以至肌體毛髮，無一不在所奉之中。可囊可食，可嗅可觀，可插可戴，是能忠臣其身，而又能媚子其術者也。花之能事，畢于此矣。

素馨

素馨一種，花之最弱者也，無一枝一莖不需扶植，予嘗謂之『可憐花』。

凌霄

藤花之可敬者，莫若凌霄。然望之如天際真人，卒急不能招致，是可敬亦可恨也。欲得此花，必先蓄奇石古木以待，不則無所依附而不生，生亦不大。予年有幾，能爲奇石古木之先輩而蓄之乎？欲有此花，非入深山不可。行當即之，以舒此恨。

真珠蘭

此花與葉，并不似蘭，而以蘭名者，肖其香也。即香味亦稍別，獨有一節似之：蘭花之香，與之習處者不覺，驟遇始聞之，疏而復親始聞之，是花亦然。此其所以名蘭也。閩、粵有木蘭，樹大如桂，花亦似之，名不附桂而附蘭者，亦以其香隱而不露，耐久聞而不耐急嗅故耳。凡人驟見而即覺其可親者，乃人中之玫瑰，非友中之芝蘭也。

草本第三

草本之花，經霜必死；其能死而不死，交春復發者，根在故也。常聞有花不待時，先期使開之法，或用沸水澆根，或以硫磺代土，開則開矣，花一敗而樹隨之，根亡故也。然則人之榮枯顯晦，成敗利鈍，皆不足據，但詢其根之無恙否耳。根在，則雖處厄運，猶如霜後之花，其復發也，可坐而待也；如其根之或亡，則雖處榮膴顯耀之境，猶之奇葩爛目，總非自開之花，其復發也，恐不能坐而待矣。予談草木，輒以人喻。豈好爲是嘵嘵者哉？世間萬物，皆爲人設。觀感一理，備人觀者，即備人感。天之生此，豈僅供耳目之玩、情性之適而已哉？

芍藥

芍藥與牡丹媲美，前人署牡丹以『花王』，署芍藥以『花相』，冤者！予以公道論之。天無二日，民無二王，牡丹正位于香國，芍藥自難并驅。雖別尊卑，亦當在五等諸侯之列，豈王之下，相之上，遂無一位一座，可備酬功之用者哉？歷翻種植之書，非云『花似牡丹而狹』，則曰『子似牡丹而小』。由是觀之，前人評品之法，或由皮相而得之。噫，人之貴賤美惡，可以長短肥瘦論乎？每于花時奠酒，必作温言慰之曰：『汝非相材也，前人無識，謬署此名，花神有靈，付之勿較，呼牛呼馬，聽之而已。』予于秦之鞏昌，携牡丹、芍藥各數十本而歸，牡丹活者頗少，幸此花無恙，不虛負戴之勞。豈人爲知己死者，花反爲知己生乎？

蘭

『蘭生幽谷，無人自芳』，是已。然使幽谷無人，蘭之芳也，誰得而知之？誰得而傳之？其爲蘭也，亦與蕭艾同腐而已矣。『如入芝蘭之室，久而不聞其香』，是已。然既不聞其香，與無蘭之室何异？雖有若無，非蘭之所以自處，亦非人之所以處蘭也。吾謂芝蘭之性，畢竟喜人相俱，畢竟以人聞香氣爲樂。文人之言，衹顧贊揚其美，而不顧其性之所安，强半皆若是也。然相俱貴乎有情，有情務在得法；有情而得法，則坐芝蘭之室，久而愈聞其香。蘭生幽谷與處曲房，其幸不幸相去遠矣。蘭之初着花時，自應易其坐位，外者内之，遠者近之，卑者尊之；非前倨而後恭，人之重蘭非重蘭也，重其花也，葉則花之輿從而已矣。居處一室，則當美其供設，書畫爐瓶，種種器玩，皆宜森列其旁。但勿焚香，香薰即謝，匪妒也，此花性類神仙，怕親烟火，非忌香也，忌烟火耳。若是，則位置堤防之道得矣。然皆情也，非法也，法則專爲聞香。『如入芝蘭之室，久而不聞其香』者，以其知入而不知出也，出而再入，則後來之香，倍乎前矣。故有蘭之室不應久坐，另設無蘭者一間，以作退步，時退時進，進多退少，則刻刻有香，雖坐無蘭之室，若依倩女之魂。是法也，而情在其中矣。如止有此室，則以門外作退步，或往行他事，事畢而入，以無意得之者，其香更甚。此予消受蘭香之訣，秘之終身，而泄于一旦，殊可惜也。

此法不止消受蘭香，凡屬有花房舍，皆應若是。即焚香之室亦然，久坐其間，與未嘗焚香者等也。門上布簾，必不可少，護持香氣，全賴乎此。若止靠門扇開閉，則門開盡泄，無復一綫之留矣。

蕙

蕙之與蘭，猶芍藥之與牡丹，相去皆止一間耳。而世之貴蘭者必賤蕙，皆執成見、泥成心也。人謂蕙之花不如蘭，其香亦遜。吾謂蕙誠遜蘭，但其所以遜蘭者，不在花與香而在葉，猶芍藥之遜牡丹者，亦不在花與香而在梗。牡丹係木本之花，其開也，高懸枝梗之上，得其勢，則能壯其威儀，是花王之尊，尊于勢也。芍藥出于草本，僅有葉而無枝，不得一物相扶，則委而仆于地矣，官無輿從，能自壯其威乎？蕙蘭之不相敵也反是。芍藥之葉苦其短，蕙之葉偏苦其長；芍藥之葉病其太瘦，蕙之葉翻病其太肥。當强者弱，而當弱者强，此其所以不相稱，而大遜于蘭也。蘭蕙之開，時分先後。蘭終蕙繼，猶芍藥之嗣牡丹，皆所謂兄終弟及，欲廢不能者也。善用蕙者，全在留花去葉，痛加剪除，擇其稍狹而近弱者，十存二三；又皆截之使短，去兩角而尖之，使與蘭葉相若，則是變蕙成蘭，而與『强幹弱枝』之道合矣。

水仙

水仙一花，予之命也。予有四命，各司一時：春以水仙、蘭花爲命，夏以蓮爲命，秋以秋海棠爲命，冬以蠟梅爲命。無此四花，是無命也；一季缺予一花，是奪予一季之命也。水仙以秣陵爲最，予之家于秣陵，非家秣陵，家于水仙之鄉也。記丙午之春，先以度歲無資，衣囊質盡，迨水仙開時，則爲强弩之末，索一錢不得矣。欲購無資，家人曰：『請已之。一年不看此花，亦非怪事。』予曰：『汝欲奪吾命乎？寧短一歲之壽，勿減一歲之花。且予自他鄉冒雪而歸，就水仙也，不看水仙，是何异于不返金陵，仍在他鄉卒歲乎？』家人不能止，聽予質簪珥購之。予之鍾愛此花，非痂癖也。其色其香，其莖其葉，無一不异群葩，而予更取其善媚。婦人中之面似桃，腰似柳，豐如牡丹、芍藥，而瘦比秋菊、海棠者，在在有之；若如水仙之淡而多姿，不動不摇，而能作態者，吾實未之見也。以『水仙』二字呼之，可謂摹寫殆盡。使吾得見命名者，必頹然下拜。

不特金陵水仙爲天下第一，其植此花而售于人者，亦能司造物之權，欲其早則早，命之遲則遲，購者欲于某日開，則某日必開，未嘗先後一日。及此花將謝，又以遲者繼之，蓋以下種之先後爲先後也。至買就之時，給盆與石而使之種，又能隨手布置，即成畫圖，皆風雅文人所不及也。豈此等末技，亦由天授，非人力邪？

芙蕖

芙蕖與草本諸花，似覺稍异；然有根無樹，一歲一生，其性同也。《譜》云：『産于水者曰草芙蓉，産于陸者曰旱蓮。』則謂非草本不得矣。予夏季倚此爲命者，非故效顰于茂叔，而襲成説于前人也。以芙蕖之可人，其事不一而足，請備述之。群葩當令時，衹在花開之數日，前此後此，皆屬過而不問之秋矣。芙蕖則不然。自荷錢出水之日，便爲點綴緑波，及其勁葉既生，則又日高一日，日上日妍，有風既作飄飄之態，無風亦呈裊娜之姿，是我于花之未開，先享無窮逸致矣。迨至菡萏成花，嬌姿欲滴，後先相繼，自夏徂秋，此時在花爲分内之事，在人爲應得之資者也。及花之既謝，亦可告無罪于主人矣，乃復蒂下生蓬，蓬中結實，亭亭獨立，猶似未開之花，與翠葉并擎，不至白露爲霜，而能事不已。此皆言其可目者也。可鼻則有荷葉之清香，荷花之异馥，避暑而暑爲之退，納凉而凉逐之生。至其可人之口者，則蓮實與藕，皆并列盤餐，而互芬齒頰者也。衹有霜中敗葉，零落難堪，似成弃物矣，乃摘而藏之，又備經年裹物之用。是芙蕖也者，無一時一刻，不適耳目之觀；無一物一絲，不備家常之用者也。有五穀之實，而不有其名；兼百花之長，而各去其短。種植之利，有大于此者乎？予四命之中，此命爲最。無如酷好一生，竟不得半畝方塘，爲安身立命之地；僅鑿斗大一池，植數莖以塞責，又時病其漏，望天乞水以救之。殆所謂不善養生，而草菅其命者哉。

罌粟

花之善變者，莫如罌粟，次則數葵，餘皆守故不遷者矣。藝此花如蓄豹，觀其變也。牡丹謝而芍藥繼之，芍藥謝而罌粟繼之，皆繁之極、盛之至者也。欲續三葩，難乎其爲繼矣。

葵

花之易栽易盛，而又能變化不窮者，止有一葵。是事半于罌粟，而數倍其功者也。但葉之肥大可憎，更甚于蕙。俗云：『牡丹雖好，緑葉扶持。』人謂樹之難好者在花，而不知難者反易。古今來不乏明君，所不可必得者，忠良之佐耳。

蘐

蘐花一無可取，植此同于種菜，爲口腹計則可耳。至云對此可以忘憂，佩此可以宜男，則千萬人試之，無一驗者。書之不可盡信，類如此矣。

鷄冠

予有《收鷄冠花子》一絶云：『指甲搔花碎紫雯，雖非异卉也芳芬。時防撒却還珍惜，一粒明年一朵雲。』此非溢美之詞，道其實也。花之肖形者盡多，如綉球、玉簪、金錢、蝴蝶、剪春羅之屬，皆能酷似，然皆塵世中物也；能肖天上之形者，獨有鷄冠花一種。氤氳其象而叆叇其文，就上觀之，儼然慶雲一朵。乃當日命名者，捨天上極美之物，而搜索人間。鷄冠雖肖，然而賤視花容矣，請易其字曰『一朵雲』。此花有紅、紫、黄、白四色，紅者爲紅雲，紫者爲紫雲，黄者爲黄雲，白者爲白雲。又有一種五色者，即名爲『五色雲』。以上數者，較之『鷄冠』，誰榮誰辱？花如有知，必將德我。

玉簪

花之極賤而可貴者，玉簪是也。插入婦人髻中，孰真孰假，幾不能辨，乃閨閣中必需之物。然留之弗摘，點綴籬間，亦似美人之遺。呼作『江皋玉佩』，誰曰不可？

鳳仙

鳳仙極賤之花，止宜點綴籬落，若云備染指甲之用，則大謬矣。纖纖玉指，妙在無瑕，一染猩紅，便稱俗物。况所染之紅，又不能盡在指甲，勢必連肌帶肉而丹之。迨肌肉褪清之後，指甲又不能全紅，漸長漸退，而成欲謝之花矣。始作俑者，其俗物乎？

金錢

金錢、金盞、剪春羅、剪秋羅諸種，皆化工所作之小巧文字。因牡丹、芍藥一開，造物之精華已竭，欲續不能，欲斷不可，故作輕描淡寫之文，以延其脉。吾觀于此，而識造物縱横之才力亦有窮時，不能似源泉混混，愈涌而愈出也。合一歲所開之花，可作天工一部全稿。梅花、水仙，試筆之文也，其氣雖雄，其機尚澀，故花不甚大，而色亦不甚濃。開至桃、李、棠、杏等花，則文心怒發，興致淋漓，似有不可阻遏之勢矣；然其花之大猶未甚，濃猶未至者，以其思路紛馳而不聚，筆機過縱而難收，其勢之不可阻遏者，横肆也，非純熟也。迨牡丹、芍藥一開，則文心筆致俱臻化境，收横肆而歸純熟，舒蓄積而罄光華，造物于此，可謂使才務盡，不留絲髮之餘矣。然自識者觀之，不待終篇而知其難繼。何也？世豈有開至樹不能載、葉不能覆之花，而尚有一物焉高出其上、大出其外者乎？有開至衆彩俱齊、一色不漏之花，而尚有一物焉紅過于朱、白過于雪者乎？斯時也，使我爲造物，則必善刀而藏矣。乃天則未肯告乏也，夏欲試其技，則從而荷之；秋欲試其技，則從而菊之；冬則計窮力竭，盡可不花，而猶作蠟梅一種以塞責之。數卉者，可不謂之芳妍盡致，足殿群芳者乎？

然較之春末夏初，則皆强弩之末矣。至于金錢、金盞、剪春羅、剪秋羅、滴滴金、石竹諸花，則明知精力不繼，篇帙寥寥，作此以塞紙尾，猶人詩文既盡，附以零星雜著者是也。由是觀之，造物者極欲騁才，不肯自惜其力之人也；造物之才，不可竭而可竭，可竭而終不可竟竭者也。究竟一部全文，終病其後來稍弱。其不能弱始勁終者，氣使之然，作者欲留餘地而不得也。吾謂人才著書，不應取法于造物，當秋冬其始，而春夏其終，則是能以蔗境行文，而免于江淹才盡之誚矣。

蝴蝶花

此花巧甚。蝴蝶，花間物也，此即以蝴蝶爲花。是一是二，不知周之夢爲蝴蝶歟？蝴蝶之夢爲周歟？非蝶非花，恰合莊周夢境。

菊

菊花者，秋季之牡丹、芍藥也。種類之繁衍同，花色之全備同，而性能持久復過之。從來種植之書，是花皆略，而叙牡丹、芍藥與菊者獨詳。人皆謂三種奇葩，可以齊觀等視，而予獨判爲兩截，謂有天工人力之分。何也？牡丹、芍藥之美，全仗天工，非由人力。植此二花者，不過冬溉以肥，夏澆以濕，如是焉止矣。其開也，爛漫芬芳，未嘗以人力不勤，略減其姿而稍儉其色。菊花之美，則全仗人力，微假天工。藝菊之家，當其未入土也，則有治地釀土之勞，既入土也，則有插標記種之事。是萌芽未發之先，已費人力幾許矣。迨分秧植定之後，勞瘁萬端，復從此始。防燥也，慮濕也，摘頭也，掐葉也，芟蕊也，接枝也，捕蟲掘蚓以防害也，此皆花事未成之日，竭盡人力以俟天工者也。即花之既開，亦有防雨避霜之患，縛枝繫蕊之勤，置盞引水之煩，染色變容之苦，又皆以人力之有餘，補天工之不足者也。爲此一花，自春徂秋，自朝迄暮，總無一刻之暇。必如是，其爲花也，始能豐麗而美觀，否則同于婆娑野菊，僅堪點綴疏籬而已。若是，則菊花之美，非天美之，人美之也。人美之而歸功于天，使與不費辛勤之牡丹、芍藥齊觀等視，不幾恩怨不分，而公私少辨乎？吾知斂翠凝紅而爲沙中偶語者，必花神也。

自有菊以來，高人逸士無不盡吻揄揚，而予獨反其說者，非與淵明作敵國。藝菊之人終歲勤動，而不以勝天之力予之，是但知花好，而昧所從來。飲水忘源，并置汲者于不問，其心安乎？從前題咏諸公，皆若是也。予創是說，爲秋花報本，乃深于愛菊，非薄之也。

予嘗觀老圃之種菊，而慨然于修士之立身與儒者之治業。使能以種菊之無逸者礪其身心，則焉往而不爲聖賢？使能以種菊之有恒者攻吾舉業，則何慮其不掇青紫？乃士人愛身愛名之心，終不能如老圃之愛菊，奈何！

菜

菜爲至賤之物，又非衆花之等倫，乃《草本》、《藤本》中反有缺遺，而獨取此花殿後，無乃賤群芳而輕花事乎？曰：不然。菜果至賤之物，花亦卑卑不數之花，無如積至殘至卑者而至盈千累萬，則賤者貴而卑者尊矣。『民爲貴，社稷次之，君爲輕』者，非民之果貴，民之至多至盛爲可貴也。園圃種植之花，自數朵以至數十百朵而止矣，有至盈阡溢畝，令人一望無際者哉？曰：無之。無則當推菜花爲盛矣。一氣初盈，萬花齊發，青疇白壤，悉變黄金，不誠洋洋乎大觀也哉！當是時也，呼朋拉友，散步芳塍，香風導酒客尋簾，錦蝶是游人争路，郊畦之樂，什佰園亭，惟菜花之開，是其候也。

衆卉第四

草木之類，各有所長，有以花勝者，有以葉勝者。花勝則葉無足取，且若贅疣，如葵花、蕙草之屬是也。葉勝則可以無花，非無花也，葉即花也，天以花之豐神色澤歸并于葉而生之者也。不然，緑者葉之本色，如其葉之，則亦緑之而已矣，胡以爲紅，爲紫，爲黄，爲碧，如老少年、美人蕉、天竹、翠雲草諸種，備五色之陸離，以娱觀者之目乎？即其青之緑之，亦不同于有花之葉，另具一種芳姿。是知樹木之美，不定在花，猶之丈夫之美者，不專主于有才，而婦人之醜者，亦不盡在無色也。觀群花令人修容，觀諸卉則所飾者不僅在貌。

芭蕉

幽齋但有隙地，即宜種蕉。蕉能韵人而免于俗，與竹同功，王子猷偏厚此君，未免挂一漏一。蕉之易栽，十倍于竹，一二月即可成蔭。坐其下者，男女皆入畫圖，且能使臺榭軒窗盡染碧色，『緑天』之號，洵不誣也。竹可鎸詩，蕉可作字，皆文士近身之簡牘。乃竹上止可一書，不能削去再刻；蕉葉則隨書隨换，可以日變數題，尚有時不煩自洗，雨師代拭者，此天授名箋，不當供懷素一人之用。予有題蕉絶句云：『萬花題遍示無私，費盡春來筆墨資。獨喜芭蕉容我儉，自舒晴葉待題詩。』此芭蕉實録也。

翠雲

草色之最蒨者，至翠雲而止。非特草木爲然，盡世間蒼翠之色，總無一物可以喻之，惟天上彩雲，偶一幻此。是知善着色者惟有化工，即與傾國佳人眉上之色并較淺深，覺彼猶是畫工之筆，非化工之筆也。

虞美人

虞美人花葉并嬌，且動而善舞，故又名『舞草』。《譜》云：『人或抵掌歌《虞美人》曲，即葉動如舞。』予曰：舞則有之，必歌《虞美人》曲，恐未必盡然。蓋歌舞并行之事，一姬試舞，衆姬必歌以助之，聞歌即舞，勢使然也。若曰必歌《虞美人》曲，則此曲能歌者幾？歌稀則和寡，此草亦得借口藏其拙矣。

書帶草

書帶草其名極佳，苦不得見。《譜》載出淄川城北鄭康成讀書處，名『康成書帶草』。噫，康成雅人，豈作王戎鑽核故事，不使種傳別地耶？康成婢子知書，使天下婢子皆不知書，則此草不可移，否則處處堪栽也。

老少年

此草一名『雁來紅』，一名『秋色』，一名『老少年』，皆欠妥切。雁來紅者，尚有蓼花一種，經秋弄色者又不一而足，皆屬泛稱；惟『老少年』三字相宜，而又病其俗。予嘗易其名曰『還童草』，似覺差勝。此草中仙品也，秋階得此，群花可廢。此草植之者繁，觀之者衆，然但知其一，未知其二，予嘗細玩而得之。蓋此草不特于一歲之中，經秋更媚，即一日之中，亦到晚更媚，總之後勝于前，是其性也。此意向矜獨得，及閱徐竹隱詩，有『葉從秋後變，色向晚來紅』一聯，不知確有所見如予，知其晚來更媚乎？抑下句仍同上句，其晚亦指秋乎？雖起九原而問之，即謂先予一着可也。

天竹

竹無花而以夾竹桃代之，竹不實而以天竹補之，皆是可以不必然而强爲蛇足之事。然蛇足之形自天生之，人亦不盡任咎也。

虎刺

『長盆栽虎刺，宣石作峰巒。』布置得宜，是一幅案頭山水。此虎丘賣花人長技也，不可謂非化工手筆。然購者于此，必熟視其爲原盆與否。是卉皆可新移，獨虎刺必須久植，新移旋踵者百無一活，不可不知。

苔

苔者，至賤易生之物，然亦有時作難：遇階砌新築，冀其速生者，彼必故意遲之，以示難得。予有《養苔》詩云：『汲水培苔淺却池，鄰翁盡日笑人痴。未成斑蘚渾難待，繞砌頻呼綠拗兒。』然一生之後，又令人無可奈何矣。

萍

楊入水爲萍，是花中第一怪事。花已謝而辭樹，其命絶矣，乃又變爲一物，其生方始，殆一物而兩現其身者乎？人以楊花喻命薄之人，不知其命之厚也，較天下萬物爲獨甚。吾安能身作楊花，而居水陸二地之勝乎？

水上生萍，極多雅趣；但怪其瀰漫太甚，充塞池沼，使水居有如陸地，亦恨事也。有功者不能無過，天下事其盡然哉？

竹木第五

未經種植者不載。

竹木者何？樹之不花者也。非盡不花，其見用于世者，在此不在彼，雖花而猶之弗花也。花者，媚人之物，媚人者損己，故善花之樹多不永年，不若椅桐梓漆之樸而能久。然則樹即樹耳，焉如花爲？善花者曰：

『彼能無求于世則可耳，我則不然。雨露所同也，灌溉所獨也；土壤所同也，肥澤所獨也。予不見堯之水、湯之旱乎？如其雨露或竭，而土不能滋，則奈何？盍捨汝所行而就我？』不花者曰：『是則不能，甘爲竹木而已矣。』

竹

俗云：『早間種樹，晚上乘涼。』喻詞也。予于樹木中求一物以實之，其惟竹乎！種樹欲其成蔭，非十年不可，最易活者莫如楊柳，求其蔭可蔽日，亦須數年。惟竹不然，移入庭中，即成高樹，能令俗人不捨，不轉盼而成高士之廬。神哉此君，真醫國手也！種竹之方，舊傳有訣云：『種竹無時，雨過便移，多留宿土，記取南枝。』予悉試之，乃不可盡信之書也。三者之内，惟一可遵，『多留宿土』是也。移樹最忌傷根，土多則根之盤曲如故，是移地而未嘗移土，猶還人者并其卧榻而還之，其人醒後尚不自知其還也。若俟雨過方移，則沾泥帶水，有幾許未便。泥濕則鬆，水沾則濡，我欲留土，其如土濕而蘇，隨鋤隨散之，不可留何？且雨過必晴，新移之竹，曬則葉捲，一捲即非活兆矣。予易其詞曰：『未雨先移。』天甫陰而雨猶未下，乘此急移，則宿土未濕，又復帶潮，有如膠似漆之勢，我欲多留，而土能隨我，先據一籌之勝矣。且栽移甫定而雨至，是雨爲我下，坐而受之，枝葉根本，無一不沾滋潤之利。最忌者日，而日不至；最喜者雨，而雨即來；無所忌而投以喜，未有不欣欣向榮者。此法不止種竹，是花是木皆然。至于『記取南枝』一語，尤難遵奉。移竹移花，不易其向，向南者仍使向南，自是草木之幸。然移草木就人，當隨人便，不能盡隨草木之便。無論是花是竹，皆有正面，有反面，正面向人，反面向空隙，理也。

使記南枝而與人相左，猶娶新婦進門，而聽其終年背立，有是理乎？故此語衹當不說，切勿泥之。總之，移花種竹衹有四字當記：『宜陰忌日』是也。瑣瑣繁言，徒滋疑擾。

松柏

『蒼松古柏』，美其老也。一切花竹，皆貴少年，獨松、柏與梅三物，則貴老而賤幼。欲受三老之益者，必買舊宅而居。若俟手栽，爲兒孫計則可，身則不能觀其成也。求其可移而能就我者，縱使極大，亦是五更，非三老矣。予嘗戲謂諸後生曰：『欲作畫圖中人，非老不可。三五少年，皆賤物也。』後生詢其故。予曰：『不見畫山水者，每及人物，必作扶笻曳杖之形，即坐而觀山臨水，亦是老人矍鑠之狀。從來未有俊美少年厠于其間者。少年亦有，非携琴捧畫之流，即挈盒持樽之輩，皆奴隸于畫中者也。』後生輩欲反證予言，卒無其據。引此以喻松柏，可謂合倫。如一座園亭，所有者皆時花弱卉，無十數本老成樹木主宰其間，是終日與兒女子習處，無從師會友時矣。名流作畫，肯若是乎？噫，予持此說一生，終不得與老成爲伍，乃今年已入畫，猶日坐兒女叢中。殆以花木爲我，而我爲松柏者乎？

梧桐

梧桐一樹，是草木中一部編年史也，舉世習焉不察，予特表而出之。花木種自何年？爲壽幾何歲？詢之主人，主人不知，詢之花木，花木不答。謂之『忘年交』則可，予以『知時達務』，則不可也。梧桐不然，有節可紀，生一年，紀一年。樹有樹之年，人即紀人之年，樹小而人與之小，樹大而人隨之大，觀樹即所以觀身。《易》曰：『觀我生進退。』欲觀我生，此其資也。予垂髫種此，即于樹上刻詩以紀年，每歲一節，即刻一詩，惜爲兵燹所壞，不克有終。猶記十五歲刻桐詩云：『小時種梧桐，桐葉小于艾。簪頭刻小詩，字瘦皮不壞。刹那三五年，桐大字亦大。桐字已如許，人大復何怪。還將感嘆詞，刻向前詩外。新字日相催，舊字不相待。顧此新舊痕，而爲悠忽戒。』此予嬰年著作，因説梧桐，偶爾記及，不則竟忘之矣。即此一事，便受梧桐之益。然則編年之説，豈欺人語乎？

槐榆

樹之能爲陰者，非槐即榆。《詩》云：『于我乎，夏屋渠渠。』此二樹者，可以呼爲『夏屋』，植于宅旁，與肯堂肯構無別。人謂夏者，大也，非時之所謂夏也。予曰：古人以厦爲大者，非無取義。夏日之屋，非大不涼，與三時有別，故名厦爲屋。訓夏以大，予特未之詳耳。

柳

柳貴于垂，不垂則可無柳。柳條貴長，不長則無裊娜之致，徒垂無益也。此樹爲納蟬之所，諸鳥亦集。長夏不寂寞，得時聞鼓吹者，是樹皆有功，而高柳爲最。總之，種樹非止娛目，兼爲悦耳。目有時而不娛，以在卧榻之上也；耳則無時不悦。鳥聲之最可愛者，不在人之坐時，而偏在睡時。鳥音宜曉聽，人皆知之；而其獨宜于曉之故，人則未之察也。鳥之防弋，無時不然。卯辰以後，是人皆起，人起而鳥不自安矣。慮患之念一生，雖欲鳴而不得，鳴亦必無好音，此其不宜于晝也。曉則是人未起，即有起者，數亦寥寥，鳥無防患之心，自能畢其能事，且擱舌一夜，技癢于心，至此皆思調弄，所謂『不鳴則已，一鳴驚人』者是也，此其獨宜于曉也。莊子非魚，能知魚之樂；笠翁非鳥，能識鳥之情。凡屬鳴禽，皆當呼予爲知已。種樹之樂多端，而其不便于雅人者亦有一節：枝葉繁冗，不漏月光。隔嬋娟而不使見者，此其無心之過，不足責也。然匪樹木無心，人無心耳。使于種植之初，預防及此，留一綫之餘天，以待月輪出没，則晝夜均受其利矣。

黄楊

黄楊每歲長一寸，不溢分毫，至閏年反縮一寸，是天限之木也。植此宜生憐憫之心。予新授一名曰『知命樹』。天不使高，强争無益，故守困厄爲當然。冬不改柯，夏不易葉，其素行原如是也。使以他木處此，即不能高，亦將横生而至大矣；再不然，則以才不得展而至瘁，弗復自永其年矣。困于天而能自全其天，非知命君子能若是哉？最可憫者，歲長一寸是已；至閏年反縮一寸，其義何居？歲閏而我不閏，人閏而已不閏，已見天地之私；乃非止不閏，又復從而刻之，是天地之待黄楊，可謂不仁之至，不義之甚者矣。乃黄楊不憾天地，枝葉較他木加榮，反似德之者，是知命之中又知命焉。蓮爲花之君子，此樹當爲木之君子。蓮爲花之君子，茂叔知之；黄楊爲木之君子，非稍能格物之笠翁，孰知之哉？

棕櫚

樹直上而無枝者，棕櫚是也。予不奇其無枝，奇其無枝而能有葉。植于衆芳之中，而下不侵其地，上不蔽其天者，此木是也。較之芭蕉，大有克己妨人之别。

楓柏

草之以葉爲花者，翠雲、老少年是也；木之以葉爲花者，楓與柏是也。楓之丹，柏之赤，皆爲秋色之最濃。而其所以得此者，則非雨露之功，霜之力也。霜于草木，亦有有功之時，其不肯數數見者，慮人之狎之也。

枯衆木而獨榮二木，欲示德威之一斑耳。

冬青

冬青一樹，有松柏之實而不居其名，有梅竹之風而不矜其節，殆『身隱焉文』之流亞歟？然談傲霜礪雪之姿者，從未聞一人齒及。是之推不言禄，而禄亦不及。予竊忿之，當易其名爲『不求人知樹』。

頤養部

行樂第一

傷哉！造物生人一場，爲時不滿百歲。彼夭折之輩無論矣，姑就永年者道之，即使三萬六千日盡是追歡取樂時，亦非無限光陰，終有報罷之日。况此百年以内，有無數憂愁困苦、疾病顛連、名韁利鎖、驚風駭浪，阻人燕游，使徒有百歲之虛名，并無一歲二歲享生人應有之福之實際乎！又况此百年以内，日日死亡相告，謂先我而生者死矣，後我而生者亦死矣，與我同庚比算、互稱弟兄者又死矣。噫，死是何物，而可知凶不諱，日令不能無死者驚見于目，而怛聞于耳乎！是千古不仁，未有甚于造物者矣。雖然，殆有説焉。不仁者，仁之至也。知我不能無死，而日以死亡相告，是恐我也。恐我者，欲使及時爲樂，當視此輩爲前車也。康對山構一園亭，其地在北邙山麓，所見無非丘隴。客訊之曰：『日對此景，令人何以爲樂？』對山曰：『日對此景，乃令人不敢不樂。』達哉斯言！予嘗以銘座右。兹論養生之法，而以行樂先之；勸人行樂，而以死亡怵之，即祖是意。欲體天地至仁之心，不能不蹈造物不仁之迹。

養生家授受之方，外藉藥石，内憑導引，其借口頤生而流爲放辟邪侈者，則曰『比家』。三者無論邪正，皆術士之言也。予係儒生，并非術士。術士所言者術，儒家所憑者理。《魯論·鄉黨》一篇，半屬養生之法。予雖不敏，竊附于聖人之徒，不敢爲誕妄不經之言以誤世。有怪此卷以頤養命名，而覓一丹方不得者，予以空疏謝之。又有怪予著《飲饌》一篇，而未及烹飪之法，不知醬用幾何，醋用幾何，醝椒香辣用幾何者。予曰：苟若是，是一庖人而已矣，烏足重哉！人曰：若是，則《食物志》、《尊生箋》、《衛生録》等書，何以備列此等？予曰：是誠庖人之書也。士各明志，人有弗爲。

貴人行樂之法

人間至樂之境，惟帝王得以有之；下此則公卿將相，以及群輔百僚，皆可以行樂之人也。然有萬幾在念，百務縈心，一日之内，除視朝聽政、放衙理事、治人事神、反躬修己之外，其爲行樂之時有幾？曰：不然。樂不在外而在心。心以爲樂，則是境皆樂，心以爲苦，則無境不苦。身爲帝王，則當以帝王之境爲樂境；身爲公卿，則當以公卿之境爲樂境。凡我分所當行，推諉不去者，即當擯弃一切悉視爲苦，而專以此事爲樂。謂我爲帝王，日有萬幾之冗，其心則誠勞矣，然世之艷慕帝王者，求爲片刻而

不能，我之至勞，人之所謂至逸也。爲公卿將相、群輔百僚者，居心亦復如是，則不必于視朝聽政、放衙理事、治人事神、反躬修己之外，別尋樂境，即此得爲之地，便是行樂之場。一舉筆而安天下，一矢口而遂群生，以天下群生之樂爲樂，何快如之？若于此外稍得清閑，再享一切應有之福，則人皇可比玉皇，俗吏竟成仙吏，何蓬萊三島之足羡哉！此術非他，蓋用吾家老子『退一步』法。以不如己者視己，則日見可樂；以勝于己者視己，則時覺可憂。從來人君之善行樂者，莫過于漢之文、景；其不善行樂者，莫過于武帝。以文、景于帝王應行之外，不多一事，故覺其逸；武帝則好大喜功，且薄帝王而慕神仙，是以徒見其勞。人臣之善行樂者，莫過于唐之郭子儀；而不善行樂者，則莫如李廣。子儀既拜汾陽王，志願已足，不復他求，故能極欲窮奢，備享人臣之福；李廣則耻不如人，必欲

封侯而後已，是以獨當單于，卒致失道後期而自剄。故善行樂者，必先知足。二疏云：『知足不辱，知止不殆。』不辱不殆，至樂在其中矣。

富人行樂之法

勸貴人行樂易，勸富人行樂難。何也？財爲行樂之資，然勢不宜多，多則反爲累人之具。華封人祝帝堯富壽多男，堯曰：『富則多事。』華封人曰：『富而使人分之，何事之有？』由是觀之，財多不分，即以唐堯之聖、帝王之尊，猶不能免多事之累，況德非聖人而位非帝王者乎？陶朱公屢致千金，屢散千金，其致而必散，散而復致者，亦學帝堯之防多事也。茲欲勸富人行樂，必先勸之分財；勸富人分財，其勢同于拔山超海，此必不得之數也。財多則思運，不運則生息不繁。然不運則已，一運則經營慘淡，坐起不寧，其累有不可勝言者。財多必善防，不防則爲盜賊所有，而且以身殉之。然不防則已，一防則驚魂四繞，風鶴皆兵，其恐懼觳觫之狀，有不堪目睹者。且財多必招忌。語云：『温飽之家，衆怨所歸。』以一身而爲衆射之的，方且憂傷慮死之不暇，尚可與言行樂乎哉？甚矣，財不可多，多之爲累，亦至此也。然則富人行樂，其終不可冀乎？曰：不然。多分則難，少斂則易。處比户可封之世，難于售恩；當民窮財盡之秋，易于見德。少課錙銖之利，窮民即起頌揚；略蠲升斗之租，貧佃即生歌舞。本償而子息未償，因其貧也而貰之，一券纔焚，即噪馮驩之令譽；賦足而國用不足，因其匱也而助之，急公偶試，即來卜式之美名。果如是，則大异于今日之富民，而又無損于本來之故我。覬覦者息而仇怨者稀，是則可言行樂矣。其爲樂也，亦同貴人，不必于持籌握算之外別尋樂境，即此寬租減息、仗義急公之日，聽貧民之歡欣贊頌，即當兩部鼓吹；受官司之獎勵稱揚，便是百年華衮。榮莫榮于此，樂亦莫樂于此矣。至于悦色娱聲、眠花籍柳、構堂建厦、嘯月嘲風諸樂事，他人欲得，所患無資，業有其資，何求不遂？是同一富也，昔爲最難行樂之人，今爲最易行樂之人。即使帝堯不死，陶朱現在，彼丈夫也，我丈夫也，吾何畏彼哉？去其一念之刻而已矣。

貧賤行樂之法

窮人行樂之方，無他秘巧，亦止有退一步法。我以爲貧，更有貧于我者；我以爲賤，更有賤于我者；我以妻子爲累，尚有鰥寡孤獨之民，求爲妻子之累而不能者；我以胼胝爲勞，尚有身係獄廷，荒蕪田地，求安耕鑿之生而不可得者。以此居心，則苦海盡成樂地。如或向前一算，以勝己者相衡，則片刻難安，種種桎梏幽囚之境出矣。一顯者旅宿郵亭，時方溽暑，帳内多蚊，驅之不出，因憶家居時堂寬似宇，簟冷如冰，又有群姬握扇而揮，不復知其爲夏，何遽困厄至此！因懷至樂，愈覺心煩，遂致終夕不寐。一亭長露宿階下，爲衆蚊所嘬，幾至露筋，不得已而奔走庭中，俾四體動而弗停，則嘬人者無由厠足；乃形則往來仆仆，口則贊嘆囂囂，一似苦中有樂者。顯者不解，呼而訊之，謂：『汝之受困，什佰于我，我以爲苦，而汝以爲樂，其故維何？』亭長曰：『偶憶某年，爲仇家所陷，身繫獄中。維時亦當暑月，獄卒防予私逸，每夜拘攣手足，使不得動摇，時蚊蚋之繁，倍于今夕，聽其自嘬，欲稍稍規避而不能，以視今夕之奔走不息，四體得以自如者，奚啻仙凡人鬼之别乎！以昔較今，是以但見其樂，不知其苦。』顯者聽之，不覺爽然自失。此即窮人行樂之秘訣也。不獨居心爲然，即鑄體煉形，亦當如是。譬如夏月苦炎，明知爲室廬卑小所致，偏向驕陽之下來往片時，然後步入室中，則覺暑氣漸消，不似從前酷烈；若畏其湫隘而投寬處納凉，及至歸來，炎蒸又加十倍矣。冬月苦冷，明知爲墻垣單薄所致，故向風雪之中行走一次，然後歸廬返舍，則覺寒威頓減，不復凛冽如初；若避此荒凉而向深居就燠，及其再入，戰栗又作何狀矣。由此類推，則所謂退步者，無地不有，無人不有，想至退步，樂境自生。予爲兩間第一困人，其能免死于憂，不枯槁于迍邅蹭蹬者，皆用此法。又得管城一物，相伴終身，以掃千軍則不足，以除萬慮則有餘。然非善作退步，即楮墨亦能困人。想虞卿著書，亦用此法，我能公世，彼特秘而未傳耳。

由亭長之説推之，則凡行樂者，不必遠引他人爲退步，即此一身，誰無過來之逆境？大則灾凶禍患，小則疾病憂傷。『執柯伐柯，其則不遠。』取而較之，更爲親切。凡人一生，奇禍大難非特不可遺忘，還宜大書特書，高懸座右。其裨益于身者有三：孽由己作，則可知非痛改，視作前車；禍自天來，則可止怨釋尤，以弭後患；至于憶苦追煩，引出無窮樂境，則又警心惕目之餘事矣。如曰省躬罪己，原屬隱情，難使他人共睹，若是則有包含韞籍之法：或止書罹患之年月，而不及其事；或别書隱射之數語，而不露其詳；或撰作一聯一詩，懸挂起居親密之處，微寓己意，不使人知，亦淑慎其身之妙法也。此皆湖上笠翁瞞人獨做之事，筆機所到，欲諱不能，俗語所謂『不打自招』者，非乎？

家庭行樂之法

世間第一樂地，無過家庭。『父母俱存，兄弟無故，一樂也。』是聖賢行樂之方，不過如此。而後世人情之好向，往往與聖賢相左。聖賢所樂者，彼則苦之；聖賢所苦者，彼反視爲至樂而沉溺其中。如弃現在之天親而拜他人爲父，撇同胞之手足而與陌路結盟，避女色而就孌童，捨家鷄而尋野鶩，是皆情理之至悖，而舉世習而安之。其故無他，總由一念之惡舊喜新，厭常趨异所致。若是，則生而所有之形骸，亦覺陳腐可厭，胡不并易而新之，使今日魂附一體，明日又附一體，覺愈變愈新之可愛乎？其不能變而新之者，以生定故也。然欲變而新之，亦自有法。時易冠裳，迭更幃座，而照之以鏡，則似換一規模矣。即以此法而施之父母兄弟、骨肉妻孥，以結交濫費之資，而鮮其衣飾，美其供奉，則居移氣，養移體，一歲而數變其形，豈不猶之謂他人父，謂他人母，而與同學少年互稱兄弟，各家美麗共締姻盟者哉？有好游狹斜者，蕩盡家資而不顧，其妻迫于飢寒而求去。臨去之日，別換新衣而佐以美飾，居然絶世佳人。其夫抱而泣曰：『吾走盡章臺，未嘗遇此嬌麗。』由是觀之，匪人之美，衣飾美之也。儻能復留，當爲勤儉克家，而置汝金屋。』妻善其言而止。後改蕩從善，卒如所云。又有人子不孝而爲親所逐者，鞠于他人，越數年而復返，定省承歡，大异疇昔。其父訊之，則曰：『非予不愛其親，習久而生厭也。兹復厭所習見，而以久不睹者爲可親矣。』衆人笑之，而有識者憐之。何也？習久而厭其親者，天下皆然，而不能自明其故。此人知之，又能直言無諱，蓋可以爲善之人也。此等罕譬曲喻，皆爲勸導愚蒙。誰無至性，誰乏良知，而俟予爲木鐸？但觀孺子離家，即生哭泣，豈無至樂之境十倍其家者哉？性在此而不在彼也。人能以孩提之樂境爲樂境，則去聖人不遠矣。

道途行樂之法

『逆旅』二字，足概遠行，旅境皆逆境也。然不受行路之苦，不知居家之樂，此等況味，正須一一嘗之。予游絶塞而歸，鄉人訊曰：『邊陲之游樂乎？』予曰：『樂。』有經其地而憚焉者曰：『地則不毛，人皆异類，睹沙場而氣索，聞鉦鼓而魂摇，何樂之有？』予曰：『向未離家，謬謂四方一致，其飲饌服飾皆同于我，及歷四方，知有大謬不然者。然止游通邑大都，未至窮邊極塞，又謂遠近一理，不過稍變其制而已矣。及抵邊陲，始知地獄即在人間，羅刹原非异物，而今而後，方知人之异于禽獸者幾希，而近地之民去絶塞之民者，反有霄壤幽明之大异也。不入其地，不睹其情，烏知生于東南，游于都會，衣輕席暖，飯稻羹魚之足樂哉！』此言出路之人，視居家之樂爲樂也；然未至還家，則終覺其苦。又有視家爲苦，借道途行樂之法，可以暫娱目前，不爲風霜車馬所困者，又一方便法門也。向平欲俟婚嫁既畢，遨游五岳；李固與弟書，謂周觀天下，獨未見益州，似有遺憾；太史公因游名山大川，得以史筆妙千古。是游也者，男子生而欲得，不得即以爲恨者也。有道之士，尚欲挾資裹糧，專行其志，而我以餬口資生之便，爲益聞廣見之資，過一地即覽一地之人情，經一方則睹一方之勝概，而且食所未食，嘗所欲嘗，蓄所餘者而歸遺細君，似得五侯之鯖，以果一家之腹，是人生最樂之事也，奚事哭泣阮途，而爲乘槎馭駿者所竊笑哉？

春季行樂之法

人有喜怒哀樂，天有春夏秋冬。春之爲令，即天地交歡之候，陰陽肆樂之時也。人心至此，不求暢而自暢，猶父母相親相愛，則兒女嬉笑自如，睹滿堂之歡欣，即欲向隅而泣，泣不出也。然當春行樂，每易過情，必留一綫之餘春，以度將來之酷夏。蓋一歲難過之關，惟有三伏，精神之耗，疾病之生，死亡之至，皆由于此。故俗話云：『過得七月半，便是鐵羅漢。』非虛語也。思患預防，當在三春行樂之時，不得縱欲過度，而先埋伏病根。花可熟觀，鳥可傾聽，山川雲物之勝可以縱游，而獨于房欲之事略存餘地。蓋人當此際，滿體皆春。春者，泄盡無遺之謂也。草木之春，泄盡無遺而不壞者，以三時皆蓄，而止候泄于一春，過此一春，又皆蓄精養神之候矣。人之一身，能保一時盡泄而三時皆不泄乎？盡泄于春，而又不能不泄于夏，雖草木不能不枯，況人身之浮脆者乎？欲留枕席之餘歡，當使游觀之盡致。何也？分心花鳥，便覺體有餘閑；并力閨幃，易致身無寧刻。然予所言，皆防已甚之詞也。若使杜情而絕欲，是天地皆春而我獨秋，焉用此不情之物，而作人中灾异乎？

夏季行樂之法

酷夏之可畏，前幅雖露其端，然未盡暑毒之什一也。使天祇有三時而無夏，則人之死也必稀，巫醫僧道之流皆苦飢寒而莫救矣。止因多此一時，遂覺人身叵測，常有朝人而夕鬼者。《戴記》云：『是月也，陰陽爭，死生分。』危哉斯言！令人不寒而栗矣。凡人身處此候，皆當時時防病，日日憂死。防病憂死，則當刻刻偷閑以行樂。從來行樂之事，人皆選暇于三春，予獨息機于九夏。以三春神旺，即使不樂，無損于身；九夏則神耗氣索，力難支體，如其不樂，則勞神役形，如火益熱，是與性命爲仇矣。《月令》以仲冬爲閉藏，予謂天地之氣閉藏于冬，人身之氣當令閉藏于夏。試觀隆冬之月，人之精神愈寒愈健，較之暑氣鑠人，有不可同年而語者。凡人苟非民社系身，飢寒迫體，稍堪自逸者，則當以三時行事，一夏養生。過此危關，然後出而應酬世故，未爲晚也。追憶明朝失政以後，大清革命之先，予絶意浮名，不干寸禄，山居避亂，反以無事爲榮。夏不謁客，亦無客至，匪止頭巾不設，并衫履而廢之。或裸處亂荷之中，妻孥覓之不得；或偃卧長松之下，猿鶴過而不知。洗硯石于飛泉，試茗奴以積雪；欲食瓜而瓜生户外，思啖果而果落樹頭，可謂極人世之奇聞，擅有生之至樂者矣。後此則徙居城市，酬應日紛，雖無利欲熏人，亦覺浮名致累。計我一生，得享列仙之福者，僅有三年。今欲續之，求爲閏餘而不可得矣。傷哉！人非鐵石，奚堪磨杵作針；壽豈泥沙，不禁委塵入土。予以勸人行樂，而深悔自役其形。噫，天何惜于一閑，以補富貴榮膴之不足哉！

秋季行樂之法

過夏徂秋，此身無恙，是當與妻孥慶賀重生，交相爲壽者矣。又值炎蒸初退，秋爽媚人，四體得以自如，衣衫不爲桎梏，此時不樂，將待何時？況有阻人行樂之二物，非久即至。二物維何？霜也，雪也。霜雪一至，則諸物變形，非特無花，亦且少葉；亦時有月，難保無風。若謂『春宵一刻值千金』，則秋價之昂，宜增十倍。有山水之勝者，乘此時蠟屐而游，不則當面錯過。何也？前此欲登而不可，後此欲眺而不能，則是又有一年之别矣。有金石之交者，及此時朝夕過從，不則交臂而失。何也？襏襫阻人于前，咫尺有同千里；風雪欺人于後，訪戴何异登天？則是又負一年之約矣。至于姬妾之在家，一到此時，有如久别乍逢，爲歡特异。何也？暑月汗流，求爲盛妝而不得，十分嬌艷，惟四五之僅存；此則全副精神，皆可用于青鬢翠黛之上。久不睹而今忽睹，有不與遠歸新娶同其燕好者哉？爲歡即欲，視其精力短長，總留一綫之餘地。

能行百里者，至九十而思休；善登浮屠者，至六級而即下。此房中秘術，請爲少年場授之。

冬季行樂之法

冬天行樂，必須設身處地，幻爲路上行人，備受風雪之苦，然後回想在家，則無論寒燠晦明，皆有勝人百倍之樂矣。嘗有畫雪景山水，人持破傘，或策蹇驢，獨行古道之中，經過懸崖之下，石作猙獰之狀，人有顛蹶之形者。此等險畫，隆冬之月，正宜縣挂中堂。主人對之，即是禦風障雪之屏，暖胃和衷之藥。若楊國忠之肉陣，党太尉之羊羔美酒，初試和溫，稍停則奇寒至矣。善行樂者，必先作如是觀，而後繼之以樂，則一分樂境，可抵二三分；五七分樂境，便可抵十分十二分矣。然一到樂極忘憂之際，其樂自能漸減，十分樂境，衹作得五七分，二三分樂境，又衹作得

一分矣。須將一切苦境，又復從頭想起，其樂之漸增不減，又復如初。此善討便宜之第一法也。譬之行路之人，計程共有百里，行過七八十里，所剩無多，然無奈望到心堅，急切難待，種種畏難怨苦之心出矣。但一回頭，計其行過之路數，則七八十里之遠者可到，況其少而近者乎？譬如此際止行二三十里，尚餘七八十里，則苦多樂少，其境又當何如？此種想念，非但可爲行樂之方，凡居官者之理繁治劇，學道者之讀書窮理，農工商賈之任勞即勤，無一不可倚之爲法。噫，人之行樂，何與于我，而我爲之嗓敝舌焦，手腕幾脱。是殆有媚人之癖，而以楮墨代脂韋者乎？

隨時即景就事行樂之法

行樂之事多端，未可執一而論。如睡有睡之樂，坐有坐之樂，行有行之樂，立有立之樂，飲食有飲食之樂，盥櫛有盥櫛之樂，即袒裼裸裎、

如厠便溺，種種穢褻之事，處之得宜，亦各有其樂。苟能見景生情，逢場作戲，即可悲可涕之事，亦變歡娛。如其應事寡才，養生無術，即徵歌選舞之場，亦生悲戚。茲以家常受用，起居安樂之事，因便製宜，各存其說于左。

睡

有專言法術之人，遍授養生之訣，欲予北面事之。予訊益壽之功，何物稱最？頤生之地，誰處居多？如其不謀而合，則奉爲師，不則友之可耳。其人曰：『益壽之方，全憑導引；安生之計，惟賴坐功。』予曰：『若是，則汝法最苦，惟修苦行者能之。予懶而好動，且事事求樂，未可以語此也。』其人曰：『然則汝意云何？試言之，不妨互爲印政。』予曰：『天地生人以時，動之者半，息之者半。動則旦，而息則暮也。苟勞之以日，而不息之以夜，則旦旦而伐之，其死也，可立而待矣。吾人養生亦以時，擾

之以半，静之以半，擾則行起坐立，而静則睡也。如其勞我以經營，而不逸我以寢處，則岌岌乎殆哉！其年也，不堪指屈矣。若是，則養生之訣，當以善睡居先。睡能還精，睡能養氣，睡能健脾益胃，睡能堅骨壯筋。如其不信，試以無疾之人與有疾之人合而驗之。人本無疾，而勞之以夜，使累夕不得安眠，則眼眶漸落而精氣日頹，雖未即病，而病之情形出矣。患疾之人，久而不寐，則病勢日增；偶一沉酣，則其醒也，必有油然勃然之勢。是睡，非睡也，藥也；非療一疾之藥，及治百病，救萬民，無試不驗之神藥也。茲欲從事導引，并力坐功，勢必先遣睡魔，使無倦態而後可。予忍弃生平最效之藥，而試未必果驗之方哉？』其人艴然而去，以予不足教也。予誠不足教哉！但自陳所得，實爲有見而然，與强辯飾非者稍别。

前人睡詩云：『花竹幽窗午夢長，此中與世暫相忘。華山處士如容見，不覓仙方覓睡方。』近人睡訣云：『先睡心，後睡眼。』此皆書本唾餘，請置弗道，道其未經發明者而已。睡有睡之時，睡有睡之地，睡又有可睡可不睡之人，請條晰言之。由戌至卯，睡之時也。未戌而睡，謂之先時，先時者不祥，謂與疾作思卧者無异也；過卯而睡，謂之後時，後時者犯忌，謂與長夜不醒者無异也。且人生百年，夜居其半，窮日行樂，猶苦不多，况以睡夢之有餘，而損宴游之不足乎？有一名士善睡，起必過午，先時而訪，未有能晤之者。予每過其居，必俟良久而後見。一日悶坐無聊，筆墨具在，乃取舊詩一首，更易數字而嘲之曰：『吾在此静睡，起來常過午；便活七十年，止當三十五。』同人見之，無不絶倒。此雖謔浪，頗關至理。是當睡之時，止有黑夜，捨此皆非其候矣。然而午睡之樂，倍于黄昏，三時皆所不宜，而獨宜于長夏。非私之也，長夏之一日，可抵殘冬之二日；長夏之一夜，不敵殘冬之半夜，使止息于夜，而不息于晝，是以一分之逸，敵四分之勞，精力幾何，其能堪此？况暑氣鑠金，當之未有不倦者。倦極而眠，猶飢之得食，渴之得飲，養生之計，未有善于此者。午餐之後，略逾寸晷，俟所食既消，而後徘徊近榻。又勿有心覓睡，覓睡得睡，其爲睡也不甜。必先處于有事，事未畢而忽倦，睡鄉之民自來招我。桃源、天臺諸妙境，原非有意造之，皆莫知其然而然者。予最愛舊詩中有『手倦抛書午夢長』一句。手書而眠，意不在睡；抛書而寢，則又意不在書，所謂莫知其然而然也。睡中三昧，惟此得之。此論睡之時也。睡又必先擇地。地之善者有二：曰静，曰凉。不静之地，止能睡目，不能睡耳，耳目兩岐，豈安身之善策乎？不凉之地，止能睡魂，不能睡身，身魂不附，乃養生之至忌也。至于可睡可不睡之人，則分別于『忙閑』二字。就常理而論之，則忙人宜睡，閑人可以不必睡。然使忙人假寐，止能睡眼，不能睡心，心不睡而眼睡，猶之未嘗睡也。其最不受用者，在將覺未覺之一時，忽然想起某事未行，某人未見，皆萬萬不可已者，睡此一覺，未免失事妨時，想到此處，便覺魂趨夢繞，膽怯心驚，較之未睡之前，更加煩躁，此忙人之不宜睡也。閑則眼未闔而心先闔，心已開而眼未開；已睡較未睡爲樂，已醒較未醒更樂，此閑人之宜睡也。然天地之間，能有幾個閑人？必欲閑而始睡，是無可睡之時矣。有暫逸其心以妥夢魂之法：凡一日之中，急切當行之事，俱當于上半日告竣，有未竣者，則分遣家人代之，使事事皆有着落，然後尋床覓枕以赴黑甜，則與閑人無別矣。此言可睡之人也。而尤有吃緊一關未經道破者，則在莫行歹事。『半夜敲門不吃驚』，始可于日間睡覺，不則一聞剥啄，即是邏倅到門矣。

坐

從來善養生者，莫過于孔子。何以知之？知之于『寢不尸，居不容』二語。使其好飾觀瞻，務修邊幅，時時求肖君子，處處欲爲聖人，則其寢也，居也，不求尸而自尸，不求容而自容；則五官四體，不復有舒展之刻。豈有泥塑木雕其形，而能久長于世者哉？『不尸』『不容』四字，繪出一幅時哉聖人，宜乎崇祀千秋，而爲風雅斯文之鼻祖也。吾人燕居坐法，當以孔子爲師，勿務端莊而必正襟危坐，勿同束縛而爲膠柱難移。抱膝長吟，雖坐也，而不妨同于箕踞；支頤喪我，行樂也，而何必名爲坐忘？但見面與身齊，久而不動者，其人必死。此圖畫真容之先兆也。

行

貴人之出，必乘車馬。逸則逸矣，然于造物賦形之義，略欠周全。有足而不用，與無足等耳，反不若安步當車之人，五官四體皆能適用。此貧士驕人語。乘車策馬，曳履搴裳，一般同是行人，止有動靜之別。使乘車策馬之人，能以步趨爲樂，或經山水之勝，或逢花柳之妍，或遇戴笠之貧交，或見負薪之高士，欣然止馭，徒步爲歡，有時安車而待步，有時安步以當車，其能用足也，又勝貧士一籌矣。至于貧士驕人，不在有足能行，而在緩急出門之可恃。事屬可緩，則以安步當車；如其急也，則以疾行當馬。有人亦出，無人亦出；結伴可行，無伴亦可行。不似富貴者假足于人，人或不來，則我不能即出，此則有足若無，大悖謬于造物賦形之義耳。興言及此，行殊可樂！

立

立分久暫，暫可無依，久當思傍。亭亭獨立之事，但可偶一爲之，旦旦如是，則筋骨皆懸，而脚跟如砥，有血脉膠凝之患矣。或倚長松，或憑怪石，或靠危欄作軾，或扶瘦竹爲笻；既作羲皇上人，又作畫圖中物，何樂如之！但不可以美人作柱，慮其礎石太纖，而致棟梁皆仆也。

飲

宴集之事，其可貴者有五：飲量無論寬窄，貴在能好；飲伴無論多寡，貴在善談；飲具無論豐嗇，貴在可繼；飲政無論寬猛，貴在可行；飲候無論短長，貴在能止。備此五貴，始可與言飲酒之樂；不則麯蘖賓朋，皆鑿性斧身之具也。予生平有五好，又有五不好，事則相反，乃其勢又可并行而不悖。五好、五不好維何？不好酒而好客；不好食而好談；不好長夜之歡，而好與明月相隨而不忍別；不好爲苛刻之令，而好受罰者欲辯無辭；不好使酒罵坐之人，而好其于酒後盡露肝膈。坐此五好、五不好，是以飲量不勝蕉葉，而日與酒人爲徒。近日又增一種癖好、癖惡：癖好音樂，每聽必至忘歸；而又癖惡座客多言，與竹肉之音相亂。飲酒之樂，備于五貴、五好之中，此皆爲宴集賓朋而設。若夫家庭小飲與燕閑獨酌，其爲樂也，全在天機逗露之中，形迹消忘之內。有飲宴之實事，無酬酢之虛文。睹兒女笑啼，認作斑斕之舞；聽妻孥勸誡，若聞金縷之歌。苟能作如是觀，則雖謂朝朝歲旦，夜夜元宵可也。又何必座客常滿，樽酒不空，日藉豪舉以爲樂哉？

談

讀書，最樂之事，而懶人常以爲苦；清閑，最樂之事，而有人病其寂寞。就樂去苦，避寂寞而享安閑，莫若與高士盤桓，文人講論。何也？『與君一夕話，勝讀十年書。』既受一夕之樂，又省十年之苦，便宜不亦多乎？『因過竹院逢僧話，又得浮生半日閑。』既得半日之閑，又免多時之寂，快樂可勝道乎？善養生者，不可不交有道之士；而有道之士，多有不善談者。有道而善談者，人生希覯，是當時就日招，以備開聾啓聵之用者也。即云我能揮麈，無假于人，亦須借朋儕起發，豈能若西域之鐘簴，不叩自鳴者哉？

沐浴

盛暑之月，求樂事于黑甜之外，其惟沐浴乎？潮垢非此不除，濁污非此不净，炎蒸暑毒之氣亦非此不解。此事非獨宜于盛夏，自嚴冬避冷，不宜頻浴外，凡遇春温秋爽，皆可借此爲樂。而養生之家則往往忌之，謂其損耗元神也。吾謂沐浴既能損身，則雨露亦當損物，豈人與草木有二性乎？然沐浴損身之説，亦非無據而云然。予嘗試之。試于初下浴盆時，以未經澆灌之身，忽遇澎湃奔騰之勢，以熱投冷，以濕犯燥，幾類水攻。此一激也，實足以衝散元神，耗除精氣。而我有法以處之：慮其太激，則勢在尚緩；避其太熱，則利于用温。解衣磅礴之秋，先調水性，使之略帶温和，由腹及胸，由胸及背，惟其温而緩也，則有水似乎無水，已浴同于未浴。俟與水性相習之後，始以熱者投之，頻浴頻投，頻投頻攪，使水乳交融而不覺，漸入佳境而莫知，然後縱横其勢，反側其身，逆灌順澆，必至痛快其身而後已。此盆中取樂之法也。至于富室大家，擴盆爲屋，注水于池者，冷則加薪，熱則去火，自有以逸待勞之法，想無俟貧人置喙也。

聽琴觀棋

弈棋盡可消閑，似難借以行樂；彈琴實堪養性，未易執此求歡。以琴必正襟危坐而彈，棋必整槊横戈以待。百骸盡放之時，何必再期整肅？萬念俱忘之際，豈宜復較輸贏？常有貴禄榮名付之一擲，而與人圍棋賭勝，不肯以一着相饒者，是與讓千乘之國，而争簞食豆羹者何异哉？故喜彈不若喜聽，善弈不如善觀。人勝而我爲之喜，人敗而我不必爲之憂，則是常居勝地也；人彈和緩之音而我爲之吉，人彈噍殺之音而我不必爲之凶，則是長爲吉人也。或觀聽之餘，不無技癢，何妨偶一爲之，但不寢食其中而莫之或出，則爲善彈善弈者耳。

看花聽鳥

花鳥二物，造物生之以媚人者也。既産嬌花嫩蕊以代美人，又病其不能解語，復生群鳥以佐之。此段心機，竟與購覓紅妝，習成歌舞，飲之食之，教之誨之以媚人者，同一周旋之至也。而世人不知，目爲蠢然一物，常有奇花過目而莫之睹，鳴禽悦耳而莫之聞者。至其捐資所購之姬妾，色不及花之萬一，聲僅竊鳥之緒餘，然而睹貌即驚，聞歌輒喜，爲其貌似花而聲似鳥也。噫，貴似賤真，與葉公之好龍何异？予則不然。每值花柳争妍之日，飛鳴鬥巧之時，必致謝洪鈞，歸功造物，無飲不奠，有食必陳，若善士信嫗之佞佛者。夜則後花而眠，朝則先鳥而起，惟恐一聲一色之偶遺也。及至鶯老花殘，輒怏怏如有所失。是我之一生，可謂不負花鳥；而花鳥得予，亦所稱『一人知己，死可無恨』者乎！

蓄養禽魚

鳥之悦人以聲者，畫眉、鸚鵡二種。而鸚鵡之聲價，高出畫眉上，人多癖之，以其能作人言耳。予則大違是論，謂鸚鵡所長止在羽毛，其聲則一無可取。鳥聲之可聽者，以其异于人聲也。鳥聲异于人聲之可聽者，以出于人者爲人籟，出于鳥者爲天籟也。使我欲聽人言，則盈耳皆是，何必假口籠中？况最善説話之鸚鵡，其舌本之强，猶甚于不善説話之人，而所言者，又不過口頭數語。是鸚鵡之見重于人，與人之所以重鸚鵡者，皆不可詮解之事。至于畫眉之巧，以一口而代衆舌，每效一種，無不酷似，而復纖婉過之，誠鳥中慧物也。予好與此物作緣，而獨怪其易死。既善病而復招尤，非歿于已，即傷于物，總無三年不壞者。殆亦多技多能所致歟？

鶴、鹿二種之當蓄，以其有仙風道骨也。然所耗不貲，而所居必廣，無其資與地者，皆不能蓄。且種魚養鶴，二事不可兼行，利此則害彼也。然鶴之善唳善舞，與鹿之難擾易馴，皆品之極高貴者，麟鳳龜龍而外，不得不推二物居先矣。乃世人好此二物，又以分輕重于其間，二者不可得兼，必將捨鹿而求鶴矣。顯貴之家，匪特深藏苑囿，近置衙齋，即倩人寫真繪像，必以此物相隨。予嘗推原其故，皆自一人始之，趙清獻公是也。琴之與鶴，聲價倍增，詎非賢相提携之力歟？

家常所蓄之物，鷄犬而外，又復有猫。鷄司晨，犬守夜，猫捕鼠，皆有功于人而自食其力者也。乃猫爲主人所親昵，每食與俱，尚有聽其搴帷入室，伴寢隨眠者。鷄栖于塒，犬宿于外，居處飲食皆不及焉。而從來叙禽獸之功，談治平之象者，則止言鷄犬而并不及猫。親之者是，則略之者非；親之者非，則略之者是；不能不惑于二者之間矣。曰：有説焉。昵猫而賤鷄犬者，猶癖諧臣媚子，以其不呼能來，聞叱不去；因其親而親之，非有可親之道也。鷄犬二物，則以職業爲心，一到司晨守夜之時，則各司其事，雖豢以美食，處以曲房，使不即彼而就此，二物亦守死弗至；

人之處此，亦因其遠而遠之，非有可遠之道也。即其司晨守夜之功，與捕鼠之功亦有間焉。鷄之司晨，犬之守夜，忍飢寒而盡瘁，無所利而爲之，純公無私者也；猫之捕鼠，因去害而得食，有所利而爲之，公私相半者也。清勤自處，不屑媚人者，遠身之道；假公自爲，密邇其君者，固寵之方。是三物之親疏，皆自取之也。然以我司職業于人間，亦必效鷄犬之行，而以猫之舉動爲戒。噫，親疏可言也，禍福不可言也。猫得自終其天年，而鷄犬之死，皆不免于刀鋸鼎鑊之罰。觀于三者之得失，而悟居官守職之難。其不冠進賢，而脱然于宦海浮沉之累者，幸也。

澆灌竹木

『築成小圃近方塘，果易生成菜易長。抱甕太痴機太巧，從中酌取灌園方。』此予山居行樂之詩也。能以草木之生死爲生死，始可與言灌園之樂，不則一灌再灌之後，無不畏途視之矣。殊不知草木欣欣向榮，非止耳目堪娛，亦可爲藝草植木之家助祥光而生瑞氣。不見生財之地萬物皆榮，退運之家群生不遂？氣之旺與不旺，皆于動植驗之。若是，則汲水澆花，與聽信堪輿、修門改向者無异也。不視爲苦，則樂在其中。督率家人灌溉，而以身任微勤，節其勞逸，亦頤養性情之一助也。

止憂第二

憂可忘乎？不可忘乎？曰：可忘者非憂，憂實不可忘也。然則憂之未忘，其何能樂？曰：憂不可忘而可止，止即所以忘之也。如人憂貧而勸之使忘，彼非不欲忘也，啼飢號寒者迫于内，課賦索逋者攻于外，憂能忘乎？欲使貧者忘憂，必先使飢者忘啼，寒者忘號，徵且索者忘其逋賦而後可，此必不得之數也。若是，則『忘憂』二字徒虚語耳。猶慰下第者以

來科必發，慰老而無嗣者以日後必生，迨其不發不生，亦止聽之而已，能歸咎慰我者而責之使償乎？語云：『臨淵羡魚，不如退而結網。』慰人憂貧者，必當授以生財之法；慰人下第者，必先予以必售之方；慰人老而無嗣者，當令蓄姬買妾，止妒息争，以爲多男從出之地。若是，則爲有裨之言，不負一番勸諭。止憂之法，亦若是也。憂之途徑雖繁，總不出可備、難防之二種，姑爲汗竹，以代樹萲。

止眼前可備之憂

拂意之境，無人不有，但問其易處不易處，可防不可防。如易處而可防，則于未至之先，籌一計以待之。此計一得，即委其事于度外，不必再籌，再籌則惑我者至矣。賊攻于外而民擾于中，其可防乎？俟其既至，則以前畫之策，取而予之，切勿自動聲色。聲色動于外，則氣綏于中。此以

靜待動之法，易知亦易行也。

止身外不測之憂

不測之憂，其未發也，必先有兆。現乎蓍龜，動乎四體者，猶未必果驗。其必驗之兆，不在凶信之頻來，而反在吉祥之事之太過。樂極悲生，否伏于泰，此一定不移之數也。命薄之人，有奇福，便有奇禍；即厚德載福之人，極祥之內，亦必釀出小災。蓋天道好還，不敢盡私其人，微示公道于一綫耳。達者如此，無不思患預防，謂此非善境，乃造化必忌之數，而鬼神必瞷之秋也。蕭墻之變，其在是乎？止憂之法有五：一曰謙以省過，二曰勤以礪身，三曰儉以儲費，四曰恕以息争，五曰寬以彌謗。率此而行，則憂之大者可小，小者可無；非巡環之數，可以竊逃而幸免也。祇因造物予奪之權，不肯爲人所測識，料其如此，彼反未必如此，亦造物者

顛倒英雄之慣技耳。

調飲啜第三

《食物本草》一書，養生家必需之物。然翻閲一過，即當置之。若留匕箸之旁，日備考核，宜食之食則食之，否則相戒勿用，吾恐所好非所食，所食非所好，曾皙睹羊棗而不得咽，曹劌鄙肉食而偏與謀，則飲食之事亦太苦矣。嘗有性不宜食而口偏嗜之，因惑《本草》之言，遂以疑慮致疾者。弓蛇之爲祟，豈僅在形似之間哉！食色，性也，欲藉飲食養生，則以不離乎性者近似。

愛食者多食

生平愛食之物，即可養身，不必再查《本草》。春秋之時，并無《本草》，孔子性嗜薑，即不撤薑食，性嗜醬，即不得其醬不食，皆隨性之所

好，非有考據而然。孔子于薑、醬二物，每食不離，未聞以多致疾。可見性好之物，多食不爲祟也。但亦有調劑君臣之法，不可不知。『肉雖多，不使勝食氣。』此即調劑君臣之法。肉與食較，則食爲君而肉爲臣；薑、醬與肉較，則又肉爲君而薑、醬爲臣矣。雖有好不好之分，然君臣之位不可亂也。他物類是。

怕食者少食

凡食一物而凝滯胸膛，不能克化者，即是病根，急宜消導。世間祇有瞑眩之藥，豈有瞑眩之食乎？喜食之物，必無是患，强半皆所惡也。故性惡之物即當少食，不食更宜。

太飢勿飽

欲調飲食，先勻飢飽。大約飢至七分而得食，斯爲酌中之度，先時則早，過時則遲。然七分之飢，亦當予以七分之飽，如田疇之水，務與禾苗相稱，所需幾何，則灌注幾何，太多反能傷稼，此平時養生之火候也。有時迫于繁冗，飢過七分而不得食，遂至九分十分者，是謂太飢。其爲食也，寧失之少，勿犯于多。多則飢飽相搏而脾氣受傷，數月之調和，不敵一朝之紊亂矣。

太飽勿飢

飢飽之度，不得過于七分是已。然又豈無饕餮太甚，其腹果然之時？是則失之太飽。其調飢之法，亦復如前，寧豐勿嗇。若謂逾時不久，積食難消，以養鷹之法處之，故使飢腸欲絶，則似大熟之後，忽遇奇荒。貧民之飢可耐也，富民之飢不可耐也，疾病之生多由于此。從來善養生者，必不以身爲戲。

怒時哀時勿食

喜怒哀樂之始發，均非進食之時。然在喜樂猶可，在哀怒則必不可。怒時食物易下而難消，哀時食物難消亦難下，俱宜暫過一時，候其勢之稍殺。飲食無論遲早，總以入腸消化之時爲度。早食而不消，不若遲食而即消。不消即爲患，消則可免一餐之憂矣。

倦時悶時勿食

倦時勿食，防瞌睡也。瞌睡則食停于中，而不得下。煩悶時勿食，避惡心也。惡心則非特不下，而嘔逆隨之。食一物，務得一物之用。得其用則受益，不得其用，豈止不受益而已哉！

節色欲第四

行樂之地，首數房中。而世人不善處之，往往啓妒釀爭，翻爲禍人之具。即有善御者，又未免溺之過度，因以傷身，精耗血枯，命隨之絶。是善處不善處，其爲無益于人者一也。至于養生之家，又有近姹遠色之二種，各持一見，水火其詞。噫，天既生男，何復生女，使人遠之不得，近之不得，功罪難予，竟作千古不決之疑案哉！予請爲息争止謗，立一公評，則謂陰陽之不可相無，猶天地之不可使半也。天苟去地，非止無地，亦并無天。江河湖海之不存，則日月奚自而藏？雨露憑何而泄？人但知藏日月者地也，不知生日月者亦地也；人但知泄雨露者地也，不知生雨露者亦地也。地能藏天之精，泄天之液，而不爲天之害，反爲天之助者，其故何居？則以天能用地，而不爲地所用耳。天使地晦，則地不敢不晦；迨欲其明，則又不敢不明。水藏于地，而不假天之風，則波濤無據而起；土附于地，而不逢天之候，則草木何自而生？是天也者，用地之物也；猶男爲一家之主，司出納吐茹之權者也。地也者，聽天之物也；猶女備一人之用，執飲食寢處之勞者也。果若是，則房中之樂，何可一日無之？但顧其人之能用與否，我能用彼，則利莫大焉。參苓芪术皆死藥也，以死藥療生人，猶以枯木接活樹，求其氣脉之貫，未易得也。黄婆姹女皆活藥也，以活藥治活人，猶以雌鷄抱雄卵，冀其血脉之通，不更易乎？凡借女色養身而反受其害者，皆是男爲女用，反地爲天者耳。倒持干戈，授人以柄，是被戮之人之過，與殺人者何尤？人問：執子之見，則老氏『不見可欲，使心不亂』之説，不幾謬乎？予曰：正從此説參來，但爲下一轉語：不見可欲，使心不亂，常見可欲，亦能使心不亂。何也？人能屏絶嗜欲，使聲色貨利不至于前，則誘我者不至，我自不爲人誘，苟非入山逃俗，能若是乎？使終日不見可欲而遇之一旦，其心之亂也，十倍

于常見可欲之人。不如日在可欲之中，與此輩習處，則是『司空見慣渾閑事』矣，心之不亂，不大异于不見可欲而忽見可欲之人哉？老子之學，避世無爲之學也；笠翁之學，家居有事之學也。二説并存，則游于方之内外，無適不可。

節快樂過情之欲

樂中行樂，樂莫大焉。使男子至樂，而爲婦人者尚有他事縈心，則其爲樂也，可無過情之慮。使男婦并處極樂之境，其爲地也，又無一人一物攪挫其歡，此危道也。決盡堤防之患，當刻刻慮之。然而但能行樂之人，即非能慮患之人；但能慮患之人，即是可以不必行樂之人。此論徒虚設耳。必須此等憂慮歷過一遭，親嘗其苦，然後能行此樂。噫，求爲三折肱之良醫，則囊中妙藥存者鮮矣，不若早留餘地之爲善。

節憂患傷情之欲

憂愁困苦之際，無事娛情，即念房中之樂。此非自好，時勢迫之使然也。然憂中行樂，較之平時，其耗精損神也加倍。何也？體雖交而心不交，精未泄而氣已泄。試强愁人以歡笑，其歡笑之苦更甚于愁，則知憂中行樂之可已。雖然，我能言之，不能行之，但較平時稍節則可耳。

節饑飽方殷之欲

饑、寒、醉、飽四時，皆非取樂之候。然使情不能禁，必欲遂之，則寒可爲也，饑不可爲也；醉可爲也，飽不可爲也。以寒之爲苦在外，饑之爲苦在中，醉有酒力之可憑，飽無輕身之足據。總之交媾者戰也，枵腹者不可使戰；并處者眠也，果腹者不可與眠。饑不在腸而飽不在腹，是爲行樂之時矣。

節勞苦初停之欲

勞極思逸，人之情也，而非所論于耽酒嗜色之人。世有喘息未定，即赴温柔鄉者，是欲使五官百骸、精神氣血，以及骨中之髓、腎内之精，無一不勞而後已。此殺身之道也。疾發之遲緩雖不可知，總無不胎病于内者。節之之法有緩急二種：能緩者，必過一夕二夕；不能緩者，則酣眠一覺以代一夕，酣眠二覺以代二夕。惟睡可以息勞，飲食居處皆不若也。

節新婚乍御之欲

新婚燕爾，不必定在初娶，凡婦人未經御而乍御者，即是新婚。無論是妻是妾，是婢是妓，其爲燕爾之情則一也。樂莫樂于新相知，但觀此一夕之爲歡，可抵尋常之數夕，即知此一夕之所耗，亦可抵尋常之數夕。能保此夕不受燕爾之傷，始可以道新婚之樂。不則開荒闢昧，既以身任奇勞，獻媚要功，又復躬承异瘁。終身不二色者，何難作背城一戰；後宮多嬖侍者，豈能爲不敗孤軍？危哉！危哉！當籌所以善此矣。善此當用何法？曰：静之以心。雖曰燕爾新婚，祇當行其故事。『説大人，則藐之』，御新人，則舊之。仍以尋常女子相視，而不致大動其心。過此一夕二夕之後，反以新人視之，則可謂駕馭有方，而張弛合道者矣。

節隆冬盛暑之欲

最宜節欲者隆冬，而最難節欲者亦是隆冬；最忌行樂者盛暑，而最便行樂者又是盛暑。何也？冬夜非人不暖，貼身惟恐不密，倚翠偎紅之際，欲念所由生也。三時苦于褦襶，九夏獨喜輕便，袒裼裸裎之時，春心所由蕩也。當此二時，勸人節欲，似乎不情，然反此即非保身之道。節之爲言，明有度也；有度則寒暑不爲灾，無度則温和亦致戾。節之爲言，示能守也；能守則日與周旋而神旺，無守則略經點綴而魂摇。由有度而馴至能守，由能守而馴至自然，則無時不堪昵玉，有暇即可憐香。將鄙是集爲可焚，而怪湖上笠翁之多事矣。

却病第五

病之起也有因，病之伏也有在，絶其因而破其在，祇在一字之和。俗云：『家不和，被鄰欺。』病有病魔，魔非善物，猶之穿窬之盗，起訟構難之人也。我之家室有備，怨謗不生，則彼無所施其狡猾，一有可乘之隙，則環肆奸欺而祟我矣。然物必先朽而後蟲生之，苟能固其根本，榮其枝葉，蟲雖多，其奈樹何？人身所當和者，有氣血、臟腑、脾胃、筋骨之種種，使必逐節調和，則頭緒紛然，顧此失彼，窮終日之力，不能防一隙之疏。防病而病生，反爲病魔竊笑耳。有務本之法，止在善和其心。心和則百體皆和。即有不和，心能居重馭輕，運籌帷幄，而治之以法矣。否則內之不寧，外將奚視？然而和心之法，則難言之。哀不至傷，樂不至淫，怒不至于欲觸，憂不至于欲絕。『略帶三分拙，兼存一綫痴；微聾與暫啞，均是壽身資。』此和心訣也。三復斯言，病其可卻。

病未至而防之

病未至而防之者，病雖未作，而有可病之機與必病之勢，先以藥物投之，使其欲發不得，猶敵欲攻我，而我兵先之，預發制人者也。如偶以衣薄而致寒，略爲食多而傷飽，寒起畏風之漸，飽生悔食之心，此即病之機與勢也。急飲散風之物而使之汗，隨投化積之劑而速之消。在病之自視如人事，機才動而勢未成，原在可行可止之界，人或止之，則竟止矣。較之戈矛已發，而兵行在途者，其勢不大相徑庭哉？

病將至而止之

病將至而止之者，病形將見而未見，病態欲支而難支，與久疾乍愈之人同一意況。此時所患者切忌猜疑。猜疑者，問其是病與否也。一作兩歧之念，則治之不力，轉盼而疾成矣。即使非疾，我以是疾處之，寢食戒嚴，務作深溝高壘之計；刀圭畢備，時爲出奇制勝之謀。以全副精神，料理奸謀未遂之賊，使不得揭竿而起者，豈難行不得之數哉？

病已至而退之

病已至而退之，其法維何？曰：止在一字之靜。敵已深矣，恐怖何益？『剪滅此而朝食』，誰不欲爲？無如不可猝得。寬則或可漸除，急則疾上又生疾矣。此際主持之力，不在盧醫扁鵲，而全在病人。何也？召疾使來者，我也，非醫也。我由寒得，則當使之并力去寒；我自欲來，則當使之一心治欲。最不解者，病人延醫，不肯自述病源，而祇使醫人按脈。藥性易識，脈理難精，善用藥者時有，能悉脈理而所言必中者，今世能有幾人哉？徒使按脈定方，是以性命試醫，而觀其中用否也。所謂主持之力不在盧醫扁鵲，而全在病人者，病人之心專一，則醫人之心亦專一，病者二三其詞，則醫人什百其徑，徑愈寬則藥愈雜，藥愈雜則病愈繁矣。昔許胤宗謂人曰：『古之上醫，病與脈值，惟用一物攻之。今人不諳脈理，以情度病，多其藥物以幸有功，譬之獵人，不知兔之所在，廣絡原野以冀其獲，術亦昧矣。』此言多藥無功，而未及其害。以予論之，藥味多者不能愈疾，而反能害之。如一方十藥，治風者有之，治食者有之，治癆傷虛損者亦有之。此合則彼離，彼順則此逆，合者順者即使相投，而離者逆者又復于中爲祟矣。利害相攻，利卒不能勝害，況其多離少合，有逆無順者哉？故延醫服藥，危道也。不自爲政，而聽命于人，又危道中之危道也。慎而又慎，其庶幾乎！

療病第六

『病不服藥，如得中醫。』此八字金丹，救出世間幾許危命！進此説于初得病時，未有不怪其迂者，必俟刀圭藥石無所不投，人力既窮，沉疴如故，不得已而從事斯語，是可謂天人交迫，而使就『中醫』者也。乃不攻不療，反致霍然，始信八字金丹，信乎非謬。以予論之，天地之間祇有貪生怕死之人，并無起死回生之藥。『藥醫不死病，佛度有緣人。』旨哉斯言！不得以諺語目之矣。然病之不能廢醫，猶旱之不能廢禱。明知雨澤在天，匪求能致，然豈有晏然坐視，聽禾苗稼穡之焦枯者乎？自盡其心而已矣。予善病一生，老而勿藥。百草盡經嘗試，幾作神農後身，然于大黄解結之外，未見有呼應極靈，若此物之隨試隨驗者也。生平著書立言，無一不由杜撰，其于療病之法亦然。每患一症，輒自考其致此之由，得其所由，然後治之以方，療之以藥。所謂方者，非方書所載之方，乃觸景生情，就事論事之方也；所謂藥者，非《本草》必載之藥，乃隨心所喜，信手拈來之藥也。明知無本之言不可訓世，然不妨姑妄言之，以備世人之妄聽。凡閲是編者，理有可信則存之，事有可疑則闕之，不以文害辭，不以辭害志，是所望于讀笠翁之書者。

藥籠應有之物，備載方書；凡天地間一切所有，如草木金石，昆蟲魚鳥，以及人身之便溺，牛馬之溲渤，無一或遺，是可謂兩者至備之書，百代不刊之典。今試以《本草》一書高懸國門，謂有能增一療病之物，及正一藥性之訛者，予以千金。吾知軒岐復出，盧扁再生，亦惟有屏息而退，莫能覬覦者矣。然使不幸而遇笠翁，則千金必爲所攫。何也？藥不執方，醫無定格。同一病也，同一藥也，盡有治彼不效，治此忽效者；彼是則此非，彼非則此是，必居一于此矣。又有病是此病，藥非此藥，萬無可用之理，或被庸醫誤投，或爲臧獲謬取，食之不死，反以回生者。迹是而觀，則《本草》所載諸藥性，不幾大謬不然乎？更有奇于此者，常見有人病入膏肓，危在旦夕，藥餌攻之不效，刀圭試之不靈，忽于無心中瞥遇一事，猛見一物，其物并非藥餌，其事絶异刀圭，或爲喜樂而病消，或爲驚慌而疾退。『救得命活，即是良醫；醫得病痊，便稱良藥。』由是觀之，則此一物與此一事者，即爲《本草》所遺，豈得謂之全備乎？雖然，彼所載者，物性之常；我所言者，事理之變。彼之所師者人，人言如是，彼言亦如是，求其不謬則幸矣；我之所師者心，心覺其然，口亦信其然，依傍于世何爲乎？究竟予言，似創實非創也，原本于方書之一言：『醫者，意也。』以意爲醫，十驗八九，但非其人不行。吾願以拆字射覆者改卜爲醫，庶幾此法可行，而不爲一定不移之方書所誤耳。

本性酷好之藥

一曰本性酷好之物，可以當藥。凡人一生，必有偏嗜偏好之一物，如文王之嗜菖蒲菹，曾晳之嗜羊棗，劉伶之嗜酒，盧仝之嗜茶，權長孺之嗜瓜，皆癖嗜也。癖之所在，性命與通，劇病得此，皆稱良藥。醫士不明此理，必按《本草》而稽查藥性，稍與症左，即鴆毒視之。（此异疾之不能遽瘳也。予嘗以身試之。）庚午之歲，疫癘盛行，一門之内，無不呻吟，而惟予獨甚。時當夏五，應薦楊梅，而予之嗜此，較前人之癖菖蒲、羊棗諸物，殆有甚焉，每食必過一斗。因訊妻孥曰：『此果曾入市否？』妻孥知其既

有而未敢遽進，使人密訊于醫。醫者曰：『其性極熱，適與症反。無論多食，即一二枚亦可喪命。』家人識其不可，而恐予固索，遂詭詞以應，謂此時未得，越數日或可致之。詎料予宅鄰街，賣花售果之聲時時達于户内，忽有大聲疾呼而過予門者，知爲楊家果也。予始窮詰家人，彼以醫士之言對。予曰：『碌碌巫咸，彼烏知此？急爲購之！』及其既得，纔一沁齒而滿胸之鬱結俱開，咽入腹中，則五臟皆和，四體盡適，不知前病爲何物矣。家人睹此，知醫言不驗，亦聽其食而不之禁，病遂以此得痊。由是觀之，無病不可自醫，無物不可當藥。但須以漸嘗試，由少而多，視其可進而進之，始不以身爲孤注。又有因嗜此物，食之過多因而成疾者，又當别論。不得盡執以酒解酲之説，遂其勢而益之。然食之既厭而成疾者，一見此物，即避之如仇。不相忌而相能，即爲對症之藥可知已。

其人急需之藥

二曰其人急需之物，可以當藥。人無貴賤窮通，皆有激切所需之物。如窮人所需者財，富人所需者官，貴人所需者升擢，老人所需者壽，皆卒急欲致之物也。惟其需之甚急，故一投輒喜，喜即病痊。如人病入膏肓，匪醫可救，則當療之以此。力能致者致之，力不能致，不妨紿之以術。家貧不能致財者，或向富人稱貸，僞稱親友饋遺，安置床頭，予以可喜，此救貧之第一着也。未得官者，或急爲納粟，或謬稱薦舉；已得官者，或真謀銓補，或假報量移。至于老人欲得之遐年，則出在星相巫醫之口，予千予百，何足吝哉！是皆『即以其人之道，反治其人之身』者也。雖然，療諸病易，療貧病難。世人憂貧而致疾，疾而不可救藥者，幾與恒河沙比數。焉能假太倉之粟，貸郭况之金，是人皆予以可喜，而使之霍然盡愈哉？

一心鍾愛之藥

三曰一心鍾愛之人，可以當藥。人心私愛，必有所鍾。常有君不得之于臣，父不得之于子，而極疏極遠極不足愛之人，反爲精神所注，性命以之者，即是鍾情之物也。或是嬌妻美妾，或爲狎客孌童，或係至親密友，思之弗得或得而弗親，皆可以致疾。即使致疾之由非關于此，一到疾痛無聊之際，勢必念及私愛之人。忽使相親，如魚得水，未有不耳清目明，精神陡健，若病魔之辭去者。此數類之中，惟色爲甚，少年之疾，强半犯此。父母不知，謬聽醫士之言，以色爲戒，不知色能害人，言其常也，情堪愈疾，處其變也。人爲情死，而不以情藥之，豈人爲饑死，而仍戒令勿食，以成首陽之志乎？凡有少年子女，情竇已開，未經婚嫁而至疾，疾而不能遽瘳者，惟此一物可以藥之。即使病軀羸弱，難使相親，但令往來其前，使知業爲我有，亦可慰情思之大半。猶之得藥弗食，但嗅其味，亦可内通腠理，外壯筋骨，同一例也。至若閨門以外之人，致之不難，處之更易。使近卧榻，相昵相親，非招人與共，乃贖藥使嘗也。仁人孝子之養親，嚴父慈母之愛子，俱不可不預蓄是方，以防其疾。

一生未見之藥

四曰一生未見之物，可以當藥。欲得未得之物，是人皆有，如文士之于异書，武人之于寶劍，醉翁之于名酒，佳人之于美飾，是皆一往情深，不辭困頓，而欲與相俱者也。多方覓得而使之一見，又復艱難其勢而後出之，此駕馭病人之術也。然必既得而後留難之，許而不能卒與，是益其疾矣。所謂异書者，不必微言秘籍，搜藏破壁而後得之。凡屬新編，未經目睹者，即是异書，如陳琳之檄，枚乘之文，皆前人已試之藥也。須知奇文通神，鬼魅遇之，無有不辟者。而予所謂文人，亦不必定指才士，凡係識字之人，即可以書當藥。傳奇野史，最祛病魔，倩人讀之，與誦咒辟邪無异也。他可類推，勿拘一轍。富人以珍寶爲异物，貧家以羅綺爲异物，獵山之民見海錯而稱奇，穴處之家入巢居而贊异。物無美惡，希覯爲珍；婦少妍媸，乍親必美。昔未睹而今始睹，一錢所購，足抵千金。如必俟希世之珍，是索此輩于枯魚之肆矣。

平時契慕之藥

五曰平時契慕之人，可以當藥。凡人有生平向往，未經謀面者，如其惠然肯來，以此當藥，其爲效也更捷。昔人傳韓非書至秦，秦王見之曰：『寡人得見此人與之游，死不恨矣！』漢武帝讀相如《子虛賦》而善之，曰：『朕獨不得與此人同時哉！』晉時宋纖有遠操，沉靜不與世交，隱居酒泉，不應辟命。太守楊宣慕之，畫其像于閣上，出入視之。是秦王之于韓非，武帝之于相如，楊宣之于宋纖，可謂心神畢射，痼瘵相求者矣。使當秦王、漢帝、楊宣卧疾之日，忽致三人于榻前，則其霍然起舞，執手爲歡，不知疾之所從去者，有不待事畢而知之矣。凡此皆言秉彝至好出自中心，故能愉快若此。其因人贊美而隨聲附和者不與焉。

素常樂爲之藥

六曰素常樂爲之事，可以當藥。病人忌勞，理之常也。然有『樂此不疲』一説作轉語，則勞之適以逸之，迹非拘士所能知耳。予一生療病，全用是方，無疾不試，無試不驗，徙癰浣腸之奇，不是過也。予生無他癖，惟好著書，憂藉以消，怒藉以釋，牢騷不平之氣藉以鏟除。因思諸疾之萌蘖，無不始于七情，我有治情理性之藥，彼烏能祟我哉！故于伏枕呻吟

之初，即作開卷第一義；能起能坐，則落毫端，不則但存腹稿。迨沉疴將起之日，即新編告竣之時。一生剞劂，孰使爲之？强半出造化小兒之手。此我輩文人之藥，『止堪自怡悦，不堪持贈君』者。而天下之人，莫不有樂爲之一事，或耽詩癖酒，或慕樂嗜棋，聽其我爲，莫加禁止，亦是調理病人之一法。總之，御疾之道，貴在能忘；切切在心，則我爲疾用，而死生聽之矣。知其力乏，而故授以事，非擾之使困，乃迫之使忘也。

生平痛惡之藥

七曰生平痛惡之物與切齒之人，忽而去之，亦可當藥。人有偏好，即有偏惡。偏好者致之，既可已疾，豈偏惡者辟之使去，逐之使遠，獨不可當沉疴之《七發》乎？無病之人，目中不能容屑，去一可憎之物，如拔眼内之釘。病中睹此，其爲累也更甚。故凡遇病人在床，必先計其所仇者何

人，憎而欲去者何物，人之來也屏之，物之存也去之。或詐言所仇之人灾傷病故，暫快一時之心，以緩須臾之死，（須臾不死，）或竟不死也，亦未可知。刲股救親，未必能活；割仇家之肉以食親，錮疾未有不起者。仇家之肉，豈有异味可嘗，而怪色奇形之可辨乎？暫欺以方，亦未嘗不可。此則充類至義之盡也。愈疾之法，豈必盡然，得其意而已矣。

以上諸藥，創自笠翁，當呼爲《笠翁本草》。其餘療病之藥及攻疾之方，效而可用者盡多。但醫士能言，方書可考，載之將不勝載。悉留本等之事，以歸分内之人，俎不越庖，非言其可廢也。總之，此一書者，事所應有，不得不有；言所當無，不敢不無。『絶無僅有』之號，則不敢居；『雖有若無』之名，亦不任受。殆亦可存而不必盡廢者也。

文華叢書

《文華叢書》是廣陵書社歷時多年精心打造的一套綫裝小型開本國學經典。選目均爲中國傳統文化之經典著作，如《唐詩三百首》《宋詞三百首》《古文觀止》《四書章句》《六祖壇經》《山海經》《天工開物》《歷代家訓》《納蘭詞》《紅樓夢詩詞聯賦》等，均爲家喻户曉、百讀不厭的名作。裝幀採用中國傳統的宣紙、綫裝形式，古色古香，樸素典雅，富有民族特色和文化品位。精選底本，精心編校，字體秀麗，版式疏朗，價格適中。經典名著與古典裝幀珠聯璧合，相得益彰，贏得了越來越多讀者的喜愛。現附列書目，以便讀者諸君選購。

文華叢書

書目　一

文華叢書書目

人間詞話（套色）（二册）
三字經·百家姓·千字文·弟子規（外二種）（二册）
三曹詩選（二册）
千家詩（二册）
小窗幽記（二册）
山海經（插圖本）（三册）
元曲三百首（二册）
元曲三百首（插圖本）（二册）
六祖壇經（二册）
天工開物（插圖本）（四册）
王維詩集（二册）
文心雕龍（二册）
文房四譜（二册）
片玉詞（套色、注評、插圖）（二册）
世説新語（二册）
古文觀止（四册）
古詩源（三册）
四書章句（大學、中庸、論語、孟子）（二册）
史記菁華録（三册）
史略·子略（三册）
白居易詩選（二册）
老子·莊子（三册）
列子（二册）
西厢記（插圖本）（二册）
宋詞三百首（二册）
宋詞三百首（套色、插圖本）（二册）
宋詩舉要（三册）
李白詩選（簡注）（二册）
李商隱詩選（二册）
李清照集·附朱淑真詞（二册）
杜甫詩選（簡注）（二册）
杜牧詩選（二册）

辛弃疾词（二册）	姜白石词（一册）
呻吟语（四册）	珠玉词·小山词（一册）
花间集（套色、插图本）（二册）	唐诗三百首（一册）
孝经·礼记（三册）	唐诗三百首（插图本）（二册）
近思录（一册）	酒经·酒谱（二册）
林泉高致·书法雅言（1册）	孙子兵法·孙膑兵法·三十六计（二册）
东坡志林（二册）	格言联璧（二册）
东坡词（套色、注评）（二册）	浮生六记（二册）
长物志（二册）	秦观诗词选（二册）
孟子（附孟子圣迹图）（二册）	笑林广记（二册）
孟浩然诗集（二册）	纳兰词（套色、注评）（二册）
金刚经·百喻经（二册）	陶庵梦忆（二册）
周易·尚书（二册）	陶渊明集（二册）
茶经·续茶经（三册）	张玉田词（一册）
红楼梦诗词联赋（二册）	雪鸿轩尺牍（二册）
柳宗元诗文选（二册）	曾国藩家书精选（二册）
荀子（三册）	饮膳正要（二册）
秋水轩尺牍（二册）	绝妙好词笺（三册）

文华丛书 书目 二

菜根谭·幽梦影（二册）	装潢志·赏延素心录（外九种）（二册）
菜根谭·幽梦影·围炉夜话（三册）	随园食单（二册）
闲情偶寄（四册）	遗山乐府选（二册）
画禅室随笔附骨董十三说（二册）	管子（四册）
梦溪笔谈（三册）	蕙风词话（三册）
传统蒙学丛书（二册）	墨子（三册）
传习录（二册）	论语（附圣迹图）（二册）
搜神记（二册）	乐章集（插图本）（二册）
楚辞（二册）	学诗百法（二册）
经史问答（二册）	学词百法（二册）
经典常谈（二册）	战国策（三册）
诗品·词品（二册）	历代家训（简注）（二册）
诗经（插图本）（二册）	颜氏家训（二册）
园冶（二册）	

★为保证购买顺利，购买前可与本社发行部联系
电话：0514-85228088   邮箱：yzglss@163.com